hiwmor CLIVE

Pob Hwyl,
Heulwyn,

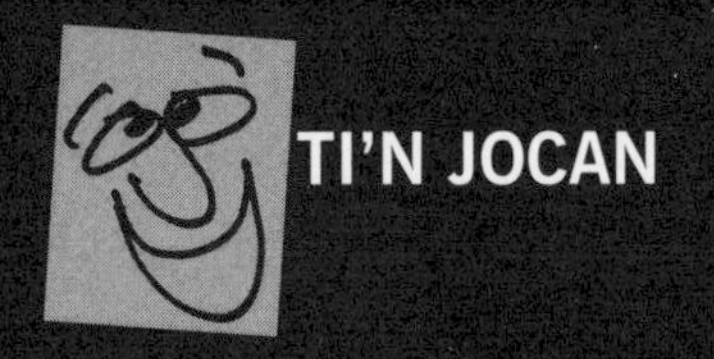

hiwmor CLIVE

gyda John Evans

Argraffiad cyntaf: 2009

Rhif Llyfr Rhyngwladol:
ISBN: 9 781 84771 078 9

Cyhoeddwyd, argraffwyd a rhwymwyd yng Nghymru
gan Y Lolfa Cyf., Talybont, Ceredigion SY24 5HE
e-bost ylolfa@ylolfa.com
gwefan www.ylolfa.com
ffôn (01970) 832 304
ffacs 832 782

Cynnwys

CLIVE : YN DAL I GICO

Sawl wharaewr, tybed, all ymffrostio fod rheol sylfaenol eu camp wedi'i newid yn uniongyrchol yn sgil ei berfformiad a'i gyfraniad e mewn gêm unigol? Dyna ddigwyddodd i fi yn sgil buddugolieth tîm rygbi Cymru ym Murrayfield ar yr ail o Chwefror,1963.

Ma'r ffeithie moel yn dangos fod Cymru wedi ennill o gôl gosb a gôl adlam, sef o chwe phwynt i ddim ac 'yn bod ni wedi blasu llwyddiant oddi cartre yn erbyn yr Alban am y tro cynta mewn deng mlynedd. Ond nid dyna yw diwedd y stori o bell, bell ffordd. Yn wir, hyd heddi galla i ddweud â'n llaw ar 'y nghalon na ddaw yr un sgwrs gall neu fel arall i ben mewn noson sy'n ymwneud â thrafod rygbi, a finne'n bresennol, heb i rywun gyfeirio at y gêm benodol hon. Buodd hi'n destun trafod, yn destun dadle ac yn wir, yn gyfle i dynnu co's dros y degawde.

Yn syml mae'n ca'l ei chyfeirio ati fel y 'gêm o 111 o leinie'. Rych chi, bois y rygbi, yn gyfarwydd â'r cefndir. Honno o'dd fy ail gêm i'n gapten ar Gymru – fe geson ni'n curo gan Loegr yng Nghaerdydd yn y gêm gynta. Mewn gwirionedd mae'n rhyfeddod bod y gêm honno wedi cael ei chynnal o gwbl gan fod gwledydd Prydain trwyddi draw, ac Ewrop yn gyffredinol, yn diodde gaeaf caled ofnadwy y flwyddyn honno. Rodd hi'n bosib cynnal y gêm ym Murrayfield yn dilyn gweledigeth hirben yr awdurdode yn yr Alban a fuddsoddodd mewn carthen drydan tan-ddaearol yn gynnar yn y pumdege.

Cofnodwyd hanes y gêm honno mewn dege o adroddiade eisoes. Digon yw crybwyll i mi gael 'y nghyhuddo o gico'r meddiant ar bob achlysur – cyhuddiad dw i'n ei wadu achos fe wnes i baso'r bêl ddwywaith yn gynnar cyn sylweddoli fod yr wyneb yn rhy llithrig a pheryglus i basio. Felly penderfynes ganolbwyntio ar ein cryfdere a'r meddiant a ddeuai'n gyson oddi wrth ein blaenwyr medrus a reolodd bac yr Albanwyr, er iddyn nhw fod yn llwyddiannus iawn yn erbyn y Ffrancod bythefnos ynghynt. Sylweddolon ni taw cico'n hir ac yn uchel fydde'r dacteg mwya llwyddiannus gan ddiogelu taw NHW fydde'n cicio'r bêl dros yr ystlys. Dilynodd yr Albanwyr fy nghynllun i ac yn sgil hynny fe geson ni lawer mwy o feddiant na nhw.

Yn y diwedd rodd y sgôr o chwe phwynt yn ddigon – gôl gosb gan Grahame Hodgson a gôl adlam gan D.C.T. Rowlands, fy unig sgôr mewn peder gêm ar ddeg dros fy ngwlad, gyda llaw.

Ond yna dechreuodd y dadle a'r cyhuddiade o chwarae negyddol a fydde'n siŵr o ladd y gêm. Rodd profi buddugoliaeth yn felys ond dioddefon ni sarhad hefyd. Yn ei araith yn y cinio swyddogol ces i 'meirniadu'n gyhoeddus gan Hubert Waddell – pwyllgorddyn llawn awdurdod yr Undeb yn yr Alban. Fy ateb iddo o'dd dweud, "fe ddefnyddies i'r un dacteg yn union ag a fabwysiadodd dy fab, Gordon ar fwy nag un achlysur – chwaraewr amryddawn ac effeithiol dros ben i'r Alban a'r Llewod – ond mi wnes i'r gwaith yn llawer mwy llwyddiannus heddi nag a wna'th e."

Dw i'n ofni na chreodd fy ateb argraff barhaol na phositif, ar y bonwr Waddell gan iddo ddweud na fyddwn i byth yn ca'l cynrychioli tîm y Barbariaid. Gwir a lefarodd. Yr un fuodd tynged dau flaenwr allweddol arall i Gymru ar y diwrnod hwnnw, sef Brian Thomas a Norman Gale. Ddaeth dim gwahoddiad i'r un ohonon nhw nag i fi deithio gyda'r Llewod, chwaith.

Ond ces brofiad doniol yn ogystal â difrifol bryd hynny. Yn ystod y cyfnod hwnnw, Bill McLaren, yr Albanwr gwybodus, di-duedd, o'dd prif sylwebydd y gêm. Medde fe'n gellweirus, "Clive, dwy i ddim yn credu i dy gic adlam groesi dros y trawst."

Fy ateb i iddo? "Edrych ar y sgôr-fwrdd, Bill!" Chwarddodd ar fwy nag un achlysur o glywed hynny.

Parodd y trafod a'r dadle'n ddi-dor gyda'r perfformiad a'r fuddugoliaeth yn ca'l eu clodfori'n gyffredinol gan gefnogwyr Cymru a'r cyfrynge Cymreig – yn gyfangwbl wahanol i'r Wasg Seisnig o'dd, yn 'y marn i, yn annheg o feirniadol.

Braf o'dd dychwelyd i Gwmtwrch Uchaf mewn steil, wrth i gapten tîm rygbi Cymru gyrraedd ei bentre genedigol yn ei fan A35 llwyd, grand. Rodd y rhif ar y plât – MEU 1 wedi costio'n fwy na'r fan ei hunan.

Ond sôn am groeso. Gwyddwn y bydde nifer go dda wedi casglu ynghyd ond down i ddim wedi paratoi am yr holl faneri yn hedfan ymhobman, y bloeddio a'r dathlu, y balchder fod un o gryts y pentre wedi arwain ei wlad i fuddugoliaeth. Rodd holl drigolion Cwmtwrch wedi dod at ei gilydd y tu fas i Neuadd y glowyr. Ac yno'n annerch yn gynnes rodd gŵr hyna'r lle, Mr Williams (Bobs), 84 oed. Crynhodd falchder pawb gan gloi gyda'r geirie, 'Pan fyddi di farw, Clive, fe alla i weld y pennawd yn y *Western Mail* nawr sef, "Clive Rowlands Kicks the Bucket!"

Boed hynny fel y bo, y gwir plaen amdani yw, yn gam neu'n gymwys, er gwell yn hytrach na gwaeth yn 'y marn i, o fewn ychydig o dymhore (1968) newidiwyd y rheol ynglŷn â chicio'r bêl yn syth dros yr ystlys ac eithrio oddi mewn i'r llinell 22 metr (25 llath ar y pryd).

Ond ai am y gêm honno a'r cyfraniad hwnnw y bydd pobol yn cofio amdana i'n benna pan ddaw dydd y farn?

Aros yng ngwesty'r North British yng Nghaeredin roedden ni fel tîm y penwythnos 'ny. Do'n i ddim wedi *gweld* gwesty mor ysblennydd heb sôn am *aros* mewn un. Fel arfer, ro'n i'n rhannu stafell 'da Dai Watkins. Ninne'n edrych mlân at ein hail gêm 'da'n gilydd a honno i ddechre o fewn orie bore wedyn. Cwmpo i gysgu'n sownd.

Clive yn cicio ym Murrayfield

Cnoc ar y drws am ddou o'r gloch y bore. Idris Jones, fy nghyfell o ysgol fach Cwmtwrch a chwpwl o'n ffrindie i o'dd yno.

"Dim ond isie dweud wrthot ti Clive ein bod ni wedi cyrra'dd yn saff. Ok!"

Er hwyred yr awr do'dd dim gwahaniaeth 'da fi. Wir!

⋆ ⋆ ⋆

Heb ymffrostio o gwbl, ond mae'n ffaith mod i wedi derbyn cannoedd lawer, os nad miloedd efalle, o wahoddiade i annerch pwyllgore, cymdeithase, ciniawe blynyddol, cyngherdde ac yn y blaen ers y gêm honno a gynhaliwyd dros bump a deugain o flynyddodd yn ôl a galla i ddweud â'n llaw ar 'y nghalon nad orffennodd yr un o'r achlysuron hynny heb i rywun neud cyfeiriad at y digwyddiade ym mis bach 1963.

Yn ddi-feth, yng nghanol y cinio mwya parchus hyd yn oed, daw'r gri, "*Cica'r* halen draw ata i, Clive!" Byth yn gofyn, "pasa'r halen." Caiff y tatws, y llysie, llaeth neu fenyn eu trin yn yr un modd. Pawb â'i ddileit. Daeth Margaret, fy ngwraig, a finne'n gyfarwydd â'r ebychiade gan i'n plant ni, Dewi a Megan fabwysiadu 'run dacteg ar y bwrdd teuluol hyd yn oed cyn i neb arall neud.

Ambell dro, bydda i'n neud hwyl ar 'y mhen yn hunan yn dilyn y gêm honno. Cofio'n dda pan ddychweles i Murrayfield yn rhan o dîm sylwebu'r BBC ar y radio am y tro cynta. Fe geson ni'n gorchymyn i gyfarfod mewn ystafell arbennig yng nghrombil adeilad ac yn naturiol rodd angen tocyn priodol, sef pas, er mwyn sicrhau mynediad. Bu bron i'r cwmni o'dd 'da fi'r diwrnod 'ny dagu pan ofynnodd steward, yn gwrtais, i fi am fy 'mhas'. Fy ateb tawel iddo o'dd, "My name is Clive Rowlands. I don't pass in Murrayfield!"

Yn yr un modd profodd yr hanes, sy erbyn hyn yn chwedlonol, yn hwb i'r galon mewn mwy nag un

Ar ôl y gêm enwog yn erbyn yr Alban, 1963.

ystyr. Yn y flwyddyn 2007 bu'n rhaid mynd i'r ysbyty gan nad o'dd fy hoff organ – y *ticker* yn ymddwyn fel y dylsai. Ar ôl hir ymgynghori a thrafod dwys a difrifol penderfynwyd taw'r unig ateb o'dd derbyn triniaeth law-feddygol. Mabwysiadwyd y drefn, sy'n weddol o gyffredin erbyn hyn, sef yr hyn a elwir yn driniaeth osgoi'r galon – yr *heart bypass*. Ac, yn fy achos i, bedair gwaith yn hytrach nag unwaith! Y *quadruple heart bypass*.

Bu'r llaw driniaeth yn llwyddiannus. Wrth reswm rown i'n anymwybodol pan gaewyd y pwyth ola gan y llawfeddyg – gŵr ifancach o lawer na'r anesthetydd o'dd ar ddyletswydd y diwrnod hwnnw. Sylw'r anesthetydd hwnnw ar ôl i'r llawfeddyg orffen o'dd, "dyna beder pas yn fwy i Rowlands heddi nag a roddodd e ym Murrayfield ym 1963!"

Cofnodais mewn llyfre erill hanes fy salwch yn ystod naw degau'r ugeinfed ganrif a'r modd y buodd yn rhaid i fi ymdopi â'r tostrwydd enbyd gan y gelyn penna, sef cansyr. Amhosibl anghofio'r anhwylder, y boen, yr anobaith, y gofidio a'r holl elfenne erill sy'n gysylltiedig â gwendide corfforol a meddyliol. Ond eto mae gen i shwd gymaint i fod yn ddiolchgar amdano 'rôl wynebu cholostomy, ileostomy a thriniaeth chemotherapi.

Fe ddaeth ambell don o lawenydd ac o hiwmor bryd hynny, hyd yn oed. Cofiaf yn dda am rannu ward gyda chleifion erill wrth i fi ddychwelyd am dridie am driniaeth chemotherapi i Ysbyty Singleton yn Abertawe. Yn wreiddiol, rown i'n rhyfeddu at eu hamynedd a'u parodrwydd wrth ddiodde cwmni claf mor ddiamynedd. Yna, synhwyrodd Margaret a finnau eu bod nhw'n falch rhannu ystafell gyda bachan fu'n gapten ar dîm rygbi Cymru.

Ond yn ddiweddarach y ces i'r gwirionedd. Mae'n ffaith bod hen ffrindie o'r byd rygbi megis y diweddar Clem Thomas a Keith Rowlands a hefyd wharaewyr fel Gareth Edwards, Bledddyn Bowen, Derek Quinnell, Barry John, J.J.Williams ac yn y blaen, yn ymwelwyr cyson â'r ward. Buon nhw'n deyrngar y tu hwnt.

Sylweddoles yn sydyn y rheswm pam rodd y bois yn falch o rannu ystafell 'da fi. Cyfaddefodd un o'r cleifion wrtha i ryw ddiwrnod, "'Twel, pan ma'r hen wharaewyr 'na'n dod i dy weld ti, ryn ni'n gallu gofyn iddyn nhw am eu llofnod."

Sôn am rywun yn ca'l gwbod ei seis, myn diain i!

Tarddiad y cyfenw 'top cat'

Dwy' i ddim yn gwbod pwy yn gwmws roddodd yr enw i fi ond mae'n ffaith fod fy awydd i fod ar flaen y gad ymhob maes wedi creu argraff ar ambell berson. Des yn ymwybodol o'r ffugenw yn gynnar yn y chwedege – a mod i'n olynydd i'r cymeriad cartŵn poplogaidd. Nid fy newis i o'dd y ffugenw ond gallen i fod wedi ca'l ei wath.

Cafodd yr etifeddiaeth ei phasio mlân i ryw radde hefyd gan taw 'pws' yw ffugenw Dewi, fy mab!

Ffugenw Morgan, un o ffrindie gore Dewi yw 'ffrog' gyda'i frawd yn cael ei alw'n 'tadpole!'

Y DYN A'I WREIDDIE

O fewn munude i unrhyw berson gwrdd â fi am y tro cynta eriod bydd e'n gwybod taw brodor o Gwmtwrch ydw i. Os ca i lonydd am ddeng munud bydda i wedi trwytho'r newyddian yng ngogonianne'r lle sy'n mynd nôl i oes y Mabinogion. Yn wir maen nhw'n dweud i'r Brenin Arthur enwi'r pentre pan dderbyniodd yr her o achub trigolion pryderus y Dyfed gwreiddiol rhag crafange'r Twrch Trwyth afreolus a bygythiol drwy ei yrru i gyfeiriad Powys. Llwyddodd Arthur yn well na'r disgwyl hyd yn oed gan ladd yr anghenfil a rholio'i gorff o gopa'r Mynydd Du i'r dyffryn lle lleolir yr afon Twrch heddi. Ac o 'nghartre i galla i weld yr afon honno'n llifo yn ogystal â'r afon Gwys sy'n ymuno â hi.

Mae'r pentre'n sefyll mewn tair sir. Am ganrifoedd lawer rodd yn perthyn i Sir Frycheiniog, Sir Gaerfyrddin a Sir Forgannwg. Erbyn heddiw hawlia Powys, Caerfyrddin a Nedd/Porth Talbot eu cyfran o'r ardal.

Elfen unigryw, yn sicr, yw bod gan Gwmtwrch dri aelod seneddol sef Peter Hain, Gordon Williams ac Adam Price. Maen nhw'n cynrychioli tair plaid wahanol hefyd sef y Blaid Lafur, Y Rhyddfrydwyr

Democrataidd a Phlaid Cymru. Dos dim llawer o ymgeiswyr pan ddaw hi'n adeg ethol cynrychiolydd i'r Blaid Geidwadol.

Hefyd mae i'r pentre nodwedd anghyffredin eithriadol arall, am ei fod wedi cael ei hollti'n ddwy – yn Gwmtwrch Uchaf a Chwmtwrch Isaf. Mae hynny o ganlyniad i osod dwy glwyd reilffordd a arferai wahanu'r rhan uchaf a'r isaf. Bellach diflannodd y rheilffordd a'r clwydi ond yn sgil y tirwedd unigryw mae trigolion y pentre'n ymfalchio taw yno y ceir y ffordd ddeuol, y *dual carriageway* fyrra yn y byd, sef canllath o hyd, a'r unig ffordd ddeuol sydd ag afon yn ei hollti, sef y Twrch. Dyna'r cefndir yn fras ac mae'n syndod 'da fi cymaint o bobol sy'n gyfarwydd â'r hanes ac efalle'n fwy o syndod byth pwy yw'r bobol hynny.

Yn ystod fy ngyrfa bues i'n ddigon ffodus i fod yn gysylltiedig â'r gêm rygbi yng Nghymru ar bob lefel. Chwaraes i dros ysgolion uwchradd Cymru, cynrychioles i Lanelli, Pontypŵl ac Abertawe a chwarae dros siroedd Mynwy a Brycheiniog. Bues i'n gapten ar Gymru mewn pedair gêm ar ddeg gan gipio'r Goron Driphlyg. Bues i'n hyfforddwr ar Gymru mewn cyfnod llwyddiannus dros ben yn ogystal â bod yn ddewiswr ac yn gadeirydd y dewiswyr. Bues i hefyd yn rheolwr ar Gymru, yn rheolwr ar y Llewod ac ym 1990 ces 'y mhenodi'n Llywydd yr Undeb. Cwrddais y mawr a'r bach ar hyd y daith ond câi pawb w'bod taw crwtyn o Gwmtwrch ydw i.

Un o ddyletswydde Llywydd Undeb Rygbi Cymru yw croesawu a gofalu am wahoddedigion ac ymwelwyr o bob rhan o'r byd i Gymru ac yn benodol i'r Maes Cenedlaethol. Dyna sut y cwrddais â'r Dywysoges Anne. Yr Albanwyr o'dd y gwrthwynebwyr ar y diwrnod penodol hwnnw ym 1990 ac fe eisteddes wrth ymyl y Dywysoges a hithe yno yn rhinwedd cael ei phenodi fel *Patron* yr Albanwyr.

Cyn i'r gêm ddechre buon ni'n trafod pob math o byncie – o'r tywydd i'r drafnidiaeth, y lonydd o gwmpas Caerdydd, y datblygiade yn y Bae ac yn y blaen. O dipyn i beth teimles i'n fwy hyderus a dechreues i drafod ceffyle a'i gallu hi i'w trin nhw. Teimlwn yn y diwedd yn ddigon cartrtefol yn ei chwmni. Yna'n ddi-symwth gofynnodd hi i fi,

"*Clive, what part of Cardiff are you from*?"

Edryches arni'n syn gan ddweud,

"Anne," (rodd hi wedi gofyn imi ei galw hi wrth ei henw cynta) "*Anne, I'm not from Cardiff. I'm from Cwmtwrch*!"

A medde hithe fel fflach, "*Is that UPPER or LOWER*?"

Yn amlwg rodd rhywun wedi'i thrwytho hi ym mhethe pwysig ein cenedl.

* * *

Clywed y stori ganlynol a wnes – doddwn i ddim yno ond mynna'r gŵr a'i hadroddodd wrtha i ei bod hi'n wir pob gair. Mae'n debyg bod y Dywysoges Anne wedi ca'l cwmni ei brawd mawr, Charles, ac ynte wedi trefnu cyfarfod ag Archesgob Caergaint, Y Gwir Barchedig Rowan Williams. Bu'r ymgom a'r trafod yn ddwys ac yn ddifyr ac o dipyn i beth dyma'r Tywysog yn gofyn i'r Archesgob, "What part of Wales are you from?"

Gyda'r Archesgob yn ateb yn Saesneg, "Wel, fe ges i 'ngeni yng Nghwmtwrch."

A medde Charles, "*Is that UPPER or LOWER*?"

"*Lower,*" medde'r Archesgob.

A dyma'r Dywysoges Anne yn torri ar eu traws. "*Oh. Lower. Do you know Clive Rowlands? He lives in Upper Cwmtwrch*!"

⋆ ⋆ ⋆

Caiff hanes ymweliad cyn Arlywydd America, Bill Clinton â Chwmtwrch dderbyniad gwresog bob tro yr adrodda i'r stori ar hyd a lled y wlad.

Dyw hi ddim yn hysbys i bawb ond mae'n ffaith iddo dderbyn yr alwad i arwain ei wlad cyn iddo orffen ei addysg ffurfiol a phan ddaeth ei dymor o fod yn Arlywydd i ben penderfynodd fynd ati i gwblhau'i gwrs academaidd. Traethawd ar eglwysi cadeiriol, eglwysi hanesyddol a chapeli enwog yng ngwledydd Prydain o'dd ei briod faes. Cyrhaeddodd Caergaint i ddechrau ar ei waith ymchwil.

Wrth reswm cafodd ei hudo a'i swyno ac wrth ymadael sylwodd ar wrthrych 'gwahanol i'r arfer wrth yr allor. Dywedwyd wrtho taw 'ffôn aur' o'dd y gwrthrych dan sylw. Yna sylwodd Clinton fod plac wedi'i osod o dan y ffôn a'r wybodaeth ganlynol wedi'i naddu arno – y geiriad yn syml, '£10,000 *per call.*'

Trodd yr Arlywydd at yr Archesgob yn anghrediniol gan ofyn iddo, "*You're not telling me that this is a direct line*?"

Cafwyd ateb cadarnhaol.

Siglodd Clinton ei ben mewn rhyfeddod ac aeth ar ei daith. Ond er syndod iddo gwelodd yr un teclyn ffôn ymhob allor a ymwelodd â hi ar ei deithiau yn Lloegr, yr Alban ac yn Iwerddon (Y Gogledd a'r De). A'r un o'dd y geirie ar y plac o dan bob un teclyn.

O'r diwedd cyrhaeddodd Gymru ar ôl croesi mewn cwch o Cork i Abertawe. Arhosai gyrrwr tacsi amdano gan ddweud fod y modur yn barod i'w gludo i Gwmtwrch.

"*Is Ebeneser chapel in Upper or Lower Cwmtwrch?*" o'dd y cwestiwn.

"Cwmtwrch Uchaf, wrth gwrs."

Ymhen hir a hwyr cyrhaeddwyd y pentre a chafodd ei dywys o gwmpas Ebeneser gan un o'r blaenoriaid mwya gwybodus.

Yna gwelwodd wyneb yr Arlywydd wrth iddo

weld y pulpud ac yno unwaith eto rodd ffôn. Cododd ei aelie a rhoddodd y pen flaenor ei ganiatad iddo wneud archwilad o'r teclyn.

Gwelodd blac arall ond wrth syllu a darllen yn fanwl sylweddolodd fod y geiriad yn wahanol… '£1 *per call*?'

Medde Clinton, â gwên ar ei wyneb:

"*Obviously, not a direct line, sir!*"

"*No,*" atebodd y blaenor. "*You see, Mr President, you are in Upper Cwmtwrch. It's a local call.*"

⋆ ⋆ ⋆

Mae'n ffaith fod pob ymwelydd â'r pentre'n blasu profiad gwahanol, unigryw. Bron yn ddi-feth ymwelwyr caredig di-ddrwg byddwn ni'n ei ga'l fel arfer ond daw ambell eithriad sy'n profi'n hamynedd a'n croeso ni hyd yr eitha.

Fel arfer bydd y tywydd yn ddigon mwyn a theg ond eto gall natur droi'n gas o bryd i'w gilydd. Dw i'n cofio un o aeafe chwerw'r chewdege pan gawson ni storm ar ôl storm gyda'r afonydd Gyrlais a'r Twrch yn gorlifo'u glanne ac yn llawn o wenwyn a hwnnw wedi llifo o'r mynyddodd.

Ar un achlysur penodol, digwyddai Margaret a finne fod ar y bont dros yr afon Gwys yn gwylio'r llif yn arllwys i'r Twrch. Yna fe welon ni ddieithryn. Gŵr wedi taclu'n ddigon deche ond eto dodd dim golwg arno ei fod e'n 'perthyn' chwaith. Yn sydyn fe welon ni'r dieithryn yn ymestyn ei law i'r dŵr mochedd gan greu cwpan o'i law ac yna'n yfed y dŵr ar ei ben.

Yn ddiarwybod i ni rodd un o gryts y pentre'n sefyll ar y geulan i'r dde ohonon ni ac o weld y dieithryn yn yfed y dŵr fe geisiodd ei ore i'w rybuddio gan weiddi ar draws yr afon arno,

"Peidiwch, da chi, ag yfed y dŵr 'na. Mae'n fochedd ac fe all fod yn wenwynig."

Trodd y gŵr ato a medde fe mewn llais mileinig, "*Are you attempting to communicate with me in that horrible Welsh language? I'm a thoroughbred Englishman. I don't understand a word.*"

Safodd y pentrefwr ifanc ei dir cyn dweud:

"*All I said, sir, was… use both hands.*"

* * *

Bellach ennill y loteri yw'r freuddwyd fawr i bawb, ond i rywun o 'nghenedlaeth i ennill y *pools* fydde'n diogelu ffortiwn ac yn fodd i wireddu pob dymuniad.

Ac yn wir digwyddodd hyn i ddau o fois pentre Cwmtwrch rai blynyddodd yn ôl. Fel mae'n digwydd dau hen lanc o'dd Dai a Sioni. Dau a o'dd wedi ca'l bywyd digon caled ond eto dau o'dd wedi cyrraedd oedran ymddeol erbyn hynny. Felly rodd traed y ddau'n rhydd. 'Rôl ennill swm o arian mor fawr y penderfyniad o'dd mynd ar daith.

Y daith rodd Dai wedi breuddwydio ca'l cyfle i fynd arni o'dd i dref o'r enw Randmantw yn yr India a hynny ers pan ddarllenodd yn grwtyn ifanc am y dre honno. O fewn dim cytunodd Sioni â dymuniad ei gyfaill a phaciodd y ddau eu bagie o fewn deuddydd gan ragweld y bydden nhw'n treulio gweddill eu dyddie ar y ddaear hon yng nghrombil India.

Brasgamodd y ddau i'r bŷs stop gan ofyn i'r condycter am "ddau docyn sengl i Randmantw, os gweli di'n dda". Wrth reswm eglurwyd wrthyn nhw na fydde hynny'n bosibl ar y bws penodol hwnnw ond dymunwyd yn dda iddyn nhw ar eu taith.

Yr un o'dd y cwestiwn ar ôl cyrraedd gorsaf y trene yn Abertawe. Yn naturiol eglurwyd wrthyn nhw unwaith yn rhagor na fydde modd darparu dau docyn sengl i Randmantw o Abertawe'n uniongyrchol. Bydde'n rhaid gofyn yn Paddington.

A dyna a ddigwyddodd unwaith eto yn Paddington ac eglurwyd nad o'dd modd darparu'r hyn roedden nhw'n gofyn amdano, ond y bydde, efalle, mwy o obaith yn y maes awyr.

Yn y maes awyr cawson nhw w'bod y bydde'n rhaid hedfan i Baris ac oddi yno ymlaen i Amsterdam. Oddi yno wedyn, rôl gofyn ymhob man am docyn sengl i Randmantw yr un o'dd yr ateb mewn saith maes awyr gwahanol mewn gwledydd dieithr. Ar ôl pythefnos o deithio ac o hedfan diddiwedd cyrhaeddwyd Bombay ac yno'n wyrthiol y diwallwyd anghenion y ddau Gymro. Llwyddwyd i brynu dau docyn sengl i Randmantw. O'r diwedd cyrhaeddodd y ddau eu 'paradwys'.

Rodd cwpan y ddau'n llawn, Cafwyd sawl 'reid' ar eliffantod, ca'l cyri i frecwast, cinio a swper hyd yn oed. Buon nhw ar deithie antur i weld anifeilied gwyllt yn eu holl ogoniant. Rodd blas y cwrw lleol at eu dant. Profwyd y gwin. Rodd bywyd yn fêl i gyd... am wythnos. Ond yna dechreuodd y ddau deimlo'n hiraethus. Penderfynodd y ddau nad o'dd Randmantw yn 'Nirfana' wedi'r cyfan. Bydde'n rhaid ei throi hi am adre.

Fe ddalion nhw'r eliffant cynta a dychwelwyd i'r orsaf drene. Gofynnwyd am ddau docyn sengl i Gwmtwrch, plîs.'

A medde'r gorsaf feistr:

"Siŵr iawn, Upper neu Lower?"

* * *

Soniwyd eisoes am gyfraniad y brenin Arthur i dwf a datblygiad pentre Cwmtwrch. Efalle nad yw hanes tîm rygbi Owain Glyndŵr cyn enwoced. Os yw'r cofnodion sy yn fy seler i'n eirwir yna mae'n ffaith ei fod e'n gapten ar glwb rygbi hyna'r byd, sef clwb rygbi Cwmtwrch, ym 1399, y flwyddyn cyn iddo gychwyn y gwrthryfel yn erbyn Lloegr.

Hyd yn oed yr adeg honno rodd gwŷr Lloegr yn ddigon haerllug i gredu y gallen nhw goncro Cymru ar y maes rygbi a galwodd Owain Glyndŵr ar ei sgwad ynghyd i ymarfer ar faes Cwmtwrch cyn i'r ornest gael ei chynnal yng Nghaerloyw.

Ond rodd problem gan Glyndŵr. Rodd ugain mil o wharaewyr yn ei garfan. Er mwyn diogelu fod pob copa walltog yn holliach galwyd cofrestr. Dyna beth o'dd her.

Rodd Owain yn ŵr gonest, doeth, a chydwybodol. Dechreuodd alw'r enwau

"Dafydd ap Rhys"... "Yma."

"Ifan ap Ianto"... "Yma."

"Lewsyn ap Sion"... "Yma," ac yn y blaen.

Ar ôl dwy awr o alw diddiwedd sylweddolodd taw dim ond dau gant o enwe o'dd wedi ca'l eu galw a'u cyhoeddi!

Dim ond dau gant... ac ugain mil i'w galw. Ac rodd blaenwyr cyhyrog, anferthol y Saeson yn gwgu'n barod ac yn awchu am i'r frwydr ddechre. Yn ogystal rodd y tywydd yn gwaethygu – elfen fyddai'n sicr o ffafrio'r gelyn. Beth o'dd yr ateb. Ble rodd rhagluniaeth?

Yn sydyn cafodd Owain weledigaeth. Galwodd am wasanaeth y dewin Myrddin o'dd yn trigo yn Ystradowen – pentre cyfagos. Gwyddai'r athrylith hwnnw am gefndir academaidd, disglair, Owain a chynigiodd ei ateb i'r ugain mil.

Meddai Myrddin: Anghofia am enwi'r unigolion a gorchmynodd y canlynol:

"Cymrwch ddeg," medde fe, 'a'u galw nhw'n RICE.

Cymrwch ugain arall a'u galw nhw'n PRYCE.

Rhyw gant arall a'u galw nhw'n PUGHS.

Ychwanegwch ddeugant a'u galw nhw'n HUGHES.'

"Am EVANS rhaid galw am gannoedd

Ac am WILLIAMS galwch am laweroedd."

Ac wedyn meddai'n ddigon jacôs,

"Rhaid galw y milodd erill yn JÔNS!"

Felly didolwyd y cyfenwe mewn dim o dro. Dewisiwyd y tîm. Curwyd y Saeson a saif y cyfenwe hyd y dydd heddi!

★ ★ ★

Y noson ore mewn unrhyw glwb rygbi o ran codi arian yw nos Wener ac yn hynny o beth dyw clwb y Cwm ddim yn eithriad. Eto i gyd ma'r clwb yn dal i siarad am un noson arbennig, y noson ore a gafon nhw erio'd o ran codi arian.

Nos Wener, adeg y Pasg o'dd hi, a bỳs anferth yn stopo tu fas i'r clwb.

Gŵr cefnsyth, tal, awdurdodol yn camu o'r bỳs. Sais oedd e achos fe alwodd e'r bỳs yn 'coach'.

Mynte fe, "Is this Cwmtwrch Rugby Football club?"

Wel "Yes", wrth gwrs o'dd yr ateb.

Eglurodd, mewn Saesneg coeth taw carfan gymysg

o hen bensiynwyr a ddath i'r ardal i chwarae bowls o'dd aelode'r fintai. Criw o'dd ar daith yn ardal Rhydaman ac wedi clywed fod noson dda o adloniant a gêm o 'bingo' yn bosibl yn y clwb. O'dd hynny'n wir?

Wrth gwrs, a chafon nhw groeso mowr.

Holodd y cadeirydd, yn 'i Sisneg gore, "Sawl un sy yn y parti?"

"*Sixty*," oedd yr ateb.

Eglurwyd y bydde pob chwaraewr yn gorfod talu punt i gymryd rhan.

"Dim problem," medde'r Sais.

"Wow, £60 punt," medde cadeirydd y clwb yn ddistaw bach wrtho fe'i hunan.

Ond eglurodd fod amode. "*You must adhere to the local rules.*"

"Dim problem," eto, medde cynrychiolydd yr ymwelwyr.

A dyma eglurhad pellach. "*You see, if a local shouts 'LINE' we give him £20!*" Gan ychwanegu, *"If a visitor shouts 'LINE' we award him/her £40*".

"*Dear me, that's more than fair,*" o'dd yr ymateb.

Ac yna. "*If a local shouts 'HOUSE' we give him £100. If a visitor shouts HOUSE we award him/her £200.*"

Yr ymateb? "*Is that so! Well, I must say that is more than gracious…*"

O fewn chwinc prynodd yr ymwelwyr bum tocyn

yr un gan wario £300!

Ac fe ddechreuodd y cadeirydd rholio'r peli. Dechreuodd alw, "Un a tri... un deg tri. Pedwar a chwech... pedwar deg chwech... Saith ac wyth... saith deg wyth...

Ac wrth gwrs fe ddath y floedd, "*Excuse me sir, we don't understand the language.*"

Ymateb y cadeirydd o'dd, "*Pity... you're not going to win anything here tonight, if you don't understand the language*!"

* * *

Profodd un o ddisgynyddion y Jonesiaid gwreiddiol yn gyfaill bore oes mynwesol i fi ac ma'r cyfeillgarwch wedi para hyd heddi. Bydde'r bardd, y prifathro ac un o fois y Cilie, John Meirion Jones o Langrannog, yn treulio'i holl wylie yn ystod ei blentyndod yn nhŷ ei fodryb yng Nghwmtwrch. Fe dreulion ni orie ac orie yng nghwmni'n gilydd gan greu pob math o ddrygioni diniwed.

Yn dilyn fy salwch a'r driniaeth hir yn yr ysbyty derbyniais wahoddiad i fod yn ŵr gwadd ar y rhaglen *Dechrau Canu Dechrau Canmol*. Cefais yr hawl i gyhoeddi'r penillion a gyfansoddodd John, 'rôl gwylio'r rhaglen honno, yn fy hunangofiant, *Clive: Cawr Cicio Cwmtwrch*!

Gwn y caf i ei ganiatad i gyhoeddi'r penillion hyn sy'n dilyn ac maen nhw hefyd yn darlunio'r gwahaniaeth rhwng tafodiaith Cwm Tawe a thafodieth de Ceredigion. Ond eto, er y gwahanieth yn y dafodiaith, fe barhaodd yr agosatrwydd rhyngon ni yr un mor glos.

TI a FI

(mewn edmygedd i Archdderwydd y Cwm)

Ni Gymry Ceredigion
Sy'n siarad Cwmrag pur,
Mae safon i'w thonyddiaeth –
A phedigri i'w chur.

Mae'r gogs a'r hwntws bellach
Yn ddieithr wir eu bref,
Ni'r Cardis yw'r detholion
Sy'n siarad iaith y nef.

Ond iaith Cwmtwrch dderbyniaf
Mewn dosis gweddol fach,
Ond ail i Geredigion
Ar ieithwedd Gymry fach.

'Shw mae, ba'n, wyt ti'n grindo
Wrth gered lan y lein?
'Wel bachan, rwy i'n gwrando
Trwy'r raels ar bwff y trein.

Ti sydd yn dringo'r tile
Awn ninnau lan y rhiw,
Nid mynd am *sex* yr oeddwn
D'oedd wir ddim gennyf gliw.

Ti'n sychu trwyn â nished
A fi â macyn gwyn,
A thi mewn 'pownd' yn oifad
Fi'n nofio yn y llyn.

Ond rôl cael 'Brains' a 'Buckleys'
Wel cnecian rwyt â'th wynt,
'Rôl 'home brew' ffein Llangrannog
Wel rhechen fydd fy hynt.

Ti'n smart a finne'n deidi –
Ond dyw hi'n rhyfedd sbo,
Cau'r clwydi, fi yr iete
Rôl bod trwy'r wlad am dro.

Do, weth fe es i'r perci
A draw i'r glowty gwyn,
Ond 'to, es ti i'r cïe
A'r beudy ger y llyn.

I ti mae'n grwt a chroten
A 'ddo' yw '*yesterday*'
Ond rhocyn a hen roces
A 'dwe' i ninnau – gwlei!

Ond bywyd mor undonog
A fyddai'i chwrs a'i thaith,
Heb acen na thafodiaith –
A phawb 'run fath eu hiaith.

Amrywiaeth yw'r gyfrinach,
A blas a 'roch' i'r iaith,
Soniarus ei chynghanedd
Fel afon Twrch ar daith.

Cwmtwrch a bro Llangrannog
Dwy ardal, ond yn un,
A Chymru'n rhedeg trwyddynt
A'u clymu yn gytûn.

Jon Llangrannog

Er inni gadw'n cyfeillgarwch dros y blynyddodd mae'n rhaid i mi gyfadde na fedres fanteisio ar ei wahoddiad pan oe'n i'n ifanc i ymweld ag e yn ei gartre am ache lawer. A minne'n ddeg ar hugen oed cyrhaeddes y pentre a gofyn yn ddigon diniwed, "Allwch chi weud wrtha i ble ma John Llangrannog yn byw?"

Daeth yr ateb yn ddigon swta. 'Pa un?'

Rodd o leia ugain 'John Llangrannog' yn y cyffinie!

Clive y Wharaewr

Pan o'n i'n wharae i Bontypŵl yr arferiad o'dd mynd i'r clwb ar ôl y gêm a chael canlyniad ambell gêm arall wedyn ar *Grandstand*. Un tro da'th un o'n cefnogwyr ni â'i gi i mewn i'r clwb. Fe gawson ni'r canlyniad fod Casnewydd wedi colli eu gêm rygbi. Yn syth fe gwympodd y ci gan rolio ar hyd y llawr cyn gorwedd ar wastad ei gefen a chwifio'i bedair pawen yn yr awyr.

Gofynnes i iddo fe, "Beth ma fe'n neud pan ma Casnewydd yn ennill?"

"Dwy i ddim yn gwbod," medde'r cefnogwr, "dim ond ers naw mis ma fe wedi bod 'da fi."

O'dd, rodd cystadleueth dwym rhwng y gwahanol glybie'r adeg honno. Ond pan ddechreues i wharae dros glwb Pontypŵl yn ystod chwedege'r ganrif ddiwetha ychydig o lewyrch o'dd ar yr iaith Gymraeg yn y clwb a dodd hi fawr gwell yn yr ardal. Yn wir honnodd sawl wharaewr taw fi o'dd un o'r Cymry Cymrâg cynta erioed i gynrychioli'r clwb. Ta beth am hynny mae'n ffaith taw'r asgellwr Bil Morris (2 gap 1963) a finne o'dd y ddou aelod a fedre'r Gymrâg ac a fydde'n whare'n gyson i'r tîm cynta ar y pryd hynny.

Llwyddes i fanteisio ar yr agwedd honno ar fwy nag un achlysur. Gan fod Pontypŵl wedi'i leoli yn yr hen Sir Fynwy rodd hynny'n golygu fod y dref yn gymdogion i rai o brif ddinasoedd a threfi Lloegr fel, Bryste, Caerfaddon a Chaerloyw. Yn wir pan fydde sôn am gêm dderby bydden nhw'n cyfeirio yn amlach na pheidio at gêm yn erbyn un o'r clybie hynny.

Ac ar gyfer y gême hynny roedd tueddiad i benodi swyddogion o orllewin Cymru gan mai'r gred o'dd y byddai hynny'n sicrhau dyfarnu teg a chytbwys. Yn aml, bydden ni'n ca'l cwmni dau o gewri Cwm Tawe i reoli'r chwiban, dyfarnwyr fel Dai Pritchard o Gwmgors a George Llywelyn o Frynaman. Er na fydde 'run o'r ddau yn fodlon twyllo, rown i'n rhyw feddwl y bydde eu penderfyniade nhw'n dueddol o'n ffafrio ni ar adege.

Heblaw am un achlysur. Digwyddodd hynny ar faes Caerloyw gyda Dai Pritchard yn dyfarnu. A'th y sgrym gynta lawr ddeg llath y tu mewn i hanner Caerloyw. A'th y chwib yn syth gyda llais Dai'n gweiddi'n groch, "*Penalty Gloucester. Ball not in straight by Pontypool scrum half.*"

"Reit," meddwn i wrtha i fy hunan, "os taw fel 'na ma 'i gweld hi. Popeth yn iawn."

Ac fe daflwyd y bêl yn syth i'r sgrym am y deg tro nesa. Ond yna a ninne ar ei hôl hi o ddeubwynt dyma geisio achub mantais o'r newydd er mwyn ein ffafrio ni wrth roi'r bêl i mewn. Ond dro ar ôl tro chwythodd Dai ei chwiban a 'nghosbi i.

Bum munud cyn diwedd y gêm gyda Phontypŵl yn dal i fod ar ôl o ddeubwynt datblygodd cyfle arall. Ar ddwy ar hugain Caerloyw fe dafles y bêl i mewn i'r sgrym unwaith eto a chwythodd Dai'n syth. Sibrydais i wrtho. "Dere mlân, Dai 'chan. Wyt ti ddim yn sylweddoli taw dim ond dou ohonon ni sy'n siarad Cwmrag ar y ca 'ma."

Ei ateb di-lol o'dd, "Dota ti'r bêl 'na i mewn fel 'na 'to a dim ond un fydd yn siarad Cwmrag ar y ca!"

Ie, Dai o'dd y bos.

* * *

A sôn am ddyfarnwr. 'Rôl gêm gwpan galed aruthrol rhwng Cwmtwrch a Chwmgors, gêm a aeth i amser ychwanegol, buodd yn rhaid i'r dyfarnwr fynd i ymweld â'r doctor gan ei fod e'n diodde o boene arswydus.

"Ym mhle rych chi'n brifo?" gofynnodd y doctor.

"Ymhob man. Edrychwch," medde'r dyfarnwr. Cyffyrddodd â'i goes gan weiddi mewn poen. Yna ei ysgwydd gan sgrechen unwaith 'to. Digwyddodd hyn dro ar ôl tro wrth iddo gwrdd â phob rhan o'i gorff. Yn y diwedd cyffyrddodd â'i wallt gan weiddi, "Smo chi'n gallu gweld, ddyn. Rwy'n ca'l dolur ymhob man."

Edrychodd y doctor arno'n ddifrifol gan ysgwyd

ei ben yn araf.

"Ie, iawn," dwedodd wrtho. "Wedi torri asgwrn 'ych bys, rych chi."

★ ★ ★

Aeth dyfarnwr arall wedyn i weld doctor a dwedodd hwnnw wrtho fe'n syth. "Bydd yn rhaid i chi wisgo sbectol."

"Shwd yn y byd mawr y daethoch chi i'r penderfyniad hwnnw?" meddai'r dyfarnwr gan ychwanegu. "Smoch chi wedi'n archwilio i 'to."

"Dodd dim rhaid i fi mewn gwirionedd," atebodd y doctor, "achos ron i'n gwbod hynny pan gerddoch chi i mewn drwy'r ffenest."

★ ★ ★

Tua diwedd 'y ngyrfa rwy'n cofio cynrychioli Pontypŵl yn erbyn Abertawe ar Sain Helen. Yr adeg honno rodd gwaith dur Llanwern yn ei anterth a da'th un o weithwyr y gwaith dur, sef Dai Jones, prop o Gwmtawe i ymuno â'n clwb ni.

Cafodd ei gynnwys yn y pac a'i ddewis yn nhîm Pontypŵl yn erbyn Abertawe y diwrnod hwnnw. Drwy anhap i Dai, syrthiodd yn lletchwith mewn lein a glaniodd ar ei ysgwydd. Dechreuodd ruo mewn poen a rhedodd physiotherapydd Pontypŵl ar y cae i'w drin.

Yn anffodus dioddefodd Dai anaf gwaeth na'r

disgwyl oherwydd pan ddaeth y meddyg o'dd ar ddyletswydd yn y gêm i'w gynorthwyo, cafwyd cadarnhad fod y prop cydnerth wedi di-sodli pont ei ysgwydd. Ceisiodd y gwŷr meddygol ail osod y cymal ond yn aflwyddiannus. Cynyddodd poen Dai ac yn sgil hynny grym ei sgrechfeydd a'i udo. Yn y diwedd trodd y meddyg ato gan ddweud:

"Bachgen, rwy'n digwydd bod yn feddyg yn ward mamolaeth yr ysbyty 'ma yn Abertawe ac yno mae mame o bob oed yn geni eu plant heb neud chwarter y sŵn rych chi'n ei neud."

Ymateb Dai? "Ie, ond 'smo chi'n hwpo'r babis 'nôl i miwn, odych chi?"

* * *

Doctor arall yn ffono plymar ac yn achwyn nad o'dd ei dŷ bach e'n gwitho'n berffaith. Y plymar yn edrych ar ei wats ac yn achwyn:

"Smo chi'n sylweddoli faint o'r gloch yw hi doctor… ma hi'n hanner awr wedi dau yn y bore."

"Wel" medde'r doctor "bydda i'n ca'l 'y ngalw mas bob awr o'r dydd a'r nos."

Felly mas yr a'th y plymar, edrych ar dŷ bach y doctor cyn taflu dwy asprin i mewn iddo fe, tynnu'r tsiain a dweud, "Os na fydd e'n gweithio'n iawn yn y bore rhowch alwad arall i fi".

* * *

Cartŵn gan Meirion Roberts o Clive, Dai Morris a Dai Watkins

Heblaw am ddoctoried proffesiwn arall ma digon o storie ar ga'l amdanyn nhw yw'r deintyddion.

Cwmpodd y fenyw 'ma mewn cariad gyda'i deintydd. A bu caru mawr rhwng y ddau pob tro y bydde hi'n dod i'w weld yn y syrjeri. Ond un dydd dwedodd y deintydd wrthi, "Mae'n rhaid i ni roi stop ar ein perthynas. Ma arna i ofan y bydd dy ŵr di'n sylweddoli beth sy'n digwydd rhyngon ni."

"Paid â becso", medde'r fenyw, "'ryn ni wedi bod yn gweld 'yn gilydd ers dros chwe mis bellach ac fe alla i warantu i ti nad yw e'n ame dim."

"Iawn," medde'r deintydd, "ond dim ond un dant sydd ar ôl 'da ti erbyn hyn!"

★ ★ ★

Gŵr o Sir Aberteifi wedyn yn gofyn i'w ddeintydd, "Faint gostith e i fi i dynnu'r dant ma?"

Cafodd yr ateb, "£50!"

"Beth, hanner can punt am ychydig eiliade o waith?"

"Wel," medde'r deintydd "os wyt ti'n moyn mwy o amser am dy arian fe alla i dynnu'r dant yn ara, ara, bach!"

★ ★ ★

A finne'n gapten ar dîm rygbi Cymru rwy'n cofio ca'l fy nala yng ngwaelod ysgarmes ynghanol blaenwyr mwya cyhyrog Lloegr – profiad poenus a dweud y lleia. Ond yn sydyn daeth sgrech o waedd o gyfeiriad un o'r Saeson.

Y Gwyddel, Kevin Kelleher o'dd yn dyfarnu ac ar ôl codi o'r cawdel galwodd arna i ddod ato fe. Dwedodd iddo dderbyn cwyn gan gapten Lloegr.

"*They claim that their forward has been bitten*," meddai.

"Nid gen i, beth bynnag," meddwn inne a minne'n dangos iddo nad o'dd 'na ddant yn 'y ngheg i a mod i'n gorfod gwisgo dannedd dodi o ddydd i ddydd.

"*Fair enough*", meddai Kelleher, "*Scrum down. Wales ball!*"

★ ★ ★

Un o'r chwaraewyr disgleiria a welodd y gêm erioed oedd Wakka Nathan oedd yn aelod amlwg tu hwnt o dîm y Cryse Duon ym 1963. Llwyddodd yr Alban i'w dal nhw i gêm gyfartal ond curodd gwŷr Wilson Whineray Gymru, Lloegr, Iwerddon a Ffrainc gan ildio i glwb Casnewydd yn unig.

Roedd Wakka'n berl o chwaraewr a datblygodd yn hyfforddwr ac yn weinyddwr o fri. Fe oedd rheolwr y Maoris a ymwelodd â Chymru ym 1982.

Enillodd Cymru'r ymrafael yng Nghaerdydd o 25 pwynt i 19 pwynt ac ar fore Sul symudodd y tîm i Abertawe. Yno penderfynwyd dangos rhai o'r gogonianne lleol i'r gwŷr gwadd. Pwyllgorddyn annwyl o glwb Sain Helen, Horace Phillips, oedd y tywysydd y diwrnod hwnnw ac aethon nhw i ymweliad â'r Mwmbwls, Rhosili a Phenrhyn Gŵyr yn ei holl ogoniant.

Syllodd Nathan ar yr olygfa a symbylwyd e i ddweud, "Dyna'r olygfa hyfrytaf yn y byd i gyd."

Anghytunodd Horace ag e gan ddweud fod un olygfa hyfrytach hyd yn oed yng Nghymru." Derbyniodd Wakka'r cynnig o gael ei dywys yno ar ôl iddo gael ei ddarbwyllo taw hanner awr ychwanegol o siwrne fyddai yn ei wynebu.

Yn ystod yr hanner awr cododd y gwynt, agorodd y nen ac arllwysodd y glaw.

Arhosodd y bws ar ganol sgwâr Pontarddulais.

Meddai Waka yn angrhrediniol, "Beth sy'n brydferth am yr olygfa hon?"

"Edrych ar yr arwyddbost," meddai Horace yn llawn balchder.

Llanelli 6 Abertawe 7

Teg nodi i Graf hefyd ddefnyddio'r stori hon gan gyfeirio at yr arwyddbost yn Llansawel.

Abertawe 7 Llanelli 14

* * *

Mae'n rhaid dweud taw profiad dicon diflas yw ca'l y 'drop' – ca'l eich gatel mas ar ôl bod yn ddewis cynta... ac yn gapten. Falle i Anti Sal grynhoi twmlade mwy na rhai hi ei hunan. Pan a'th hi i'r cwrdd ar fore Sul adeg y weddi fe glywyd hi'n gweud, mewn sishial uchel. "Damo nhw'r Big 5. Y diawled. Yn rhoi 'drop' i Clive!"

Hyfforddi neu symbylu

Cofnodwyd fy ngyrfa fel hyfforddwr ac fel rheolwr mewn cyfrole erill. Digon yw crybwyll i fi ymhyfrydu yn y ffaith mod i wedi ca'l profi dawn a chael cwmnïaeth a pharch y bois gore a welodd wyneb y ddaear hon eriôd. Dibwrpas fydde enwi unigolion heb sôn am ddadansoddi eu rhinwedde a'u cryfdere. Digon yw dweud mai anrhydedd a braint aruthrol a dda'th i'm rhan i o'dd eu cyfarfod.

Fy athroniaeth ynglŷn ag hyfforddi? Wel...

Dywed y gwybodusion mod i'n un o'dd yn galler ysbrydoli ac yn sicr dyna o'dd 'y mwriad i pan ymgymeres i â'r swydd yn gendlaethol.

Bydden i'n cynnal y cyfarfod i drafod yr her oedd yn ein hwynebu yn wreiddiol yn fy stafell wely, a hynny ar fore'r gêm. Canolbwyntio y byddwn i'n fynych ar unigolyn gyda'r bwriad o daro'r nodyn priodol a fydde'n codi hwyl a chodi ysbryd y bois drwy'r trwch.

Ar un achlysur arbennig, cyn un o'r gême yn ystod tymor 1970/71 fe alwes y garfan at ei gilydd i'n stafell er mwyn trafod gêm y prynhawn hwnnw.

Lloegr o'dd y gwrthwynebwyr ac rodd y gyfres rhwng y ddwy wlad yn gyfangwbl gyfartal ar 32 buddugoliaeth yr un. Rodd buddugoliaeth wedi dod i'n rhan ni ym 1969 a fe lwyddon ni i ennill yn Twickenham ym 1970 hefyd.

Rodd y blaenasgellwr, Dai Morris, yn ôl ei arfer, wedi whare rhan flaenllaw yn y ddwy fuddugoliaeth ac edryches ar Dai pan ddechreues i godi stem gan obeithio ysbrydoli, ysgogi a symbylu'r tîm.

"Drychwch," meddwn i gan hoelio fy sylw ar Dai. "Dyma symbol o bopeth sy'n gywir, symbol sy'n adlewyrchu'r Cymry gweithgar, gonest a llwyddiannus. Bydd Dai ar ôl y gêm pnawn 'ma'n mynd 'nôl at ei waith fel glöwr. Bydd Cymru'n dathlu buddugoliaeth a Dai yn ailymuno â'i gydweithwyr yn naddu glo o'r ddaear ddu." (neu eiriau cyffelyb nad o'dd mor barchus falle!)

Yn arferol bydde anerchiad o'r fath yn ennyn brwdfrydedd mawr, yn gneud i bob wharaewr ysu am fynd ar y cae gan hawlio llwyddiant a bydde'r awydd i drechu'r Saeson yn amlwg yng nghryche wyneb pob unigolyn. Ond, ar y diwrnod penodol hwn down i ddim yn credu fod yr apêl wedi taro deuddeg. Rodd rhyw elfen bwysig yn absennol rhywsut.

Ar ôl traddodi fy araith wreiddiol yn y gwesty tua hanner awr wedi un ar ddeg byddwn i fel arfer yn ca'l tamed i'w fwyta cyn croesi'r hewl fowr a'i throi hi am y Maes Cenedlaethol. Arfere'r gême ddechre tua chwarter i dri a byddwn i fel arfer yn cyrraedd y stafell wisgo erbyn chwarter wedi un gyda Gerry

Lewis y physiotherapydd er mwyn neud yn siŵr bod popeth yn ei le fel petai – pob dim fel y sgidie, y sane, y siorts, y cryse, y peli ac yn y bla'n.

Bydde'r wharaewyr yn dilyn wedyn rhyw chwarter awr yn ddiweddarach. Buan iawn yr elai'r amser cyn clywed y gorchymyn i adael y stafell ac am i ni ei throi hi tuag at y maes. Ond y tro arbennig hwn down i ddim yn fodlon gyda'r cyfarfod yn y gwesty. Down i ddim yn credu mod i wedi cyfleu byrdwn fy neges mor effeithiol ag arfer a down i ddim yn teimlo chwaith fod y bechgyn wedi eu hysbrydoli nag wedi teimlo unrhyw wefr y bydden nhw'n ei gael fel arfer.

Cyrhaeddes stafell newid Cymru cyn un o'r gloch ond er syndod i fi rodd pob aelod o'r tîm yno o 'mlaen i a phawb yn anghyffredin o dawel fel pe bydden nhw'n disgwyl am araith arall i'w hysgogi a'u symbylu. Ychydig iawn o eirie a ddaeth o 'ngene i cyn dau o'r gloch. Gwyddwn, serch hynny, fod hwn yn gyfle arall o'r newydd i'w hysgogi. Manteisies ar 'y nhacteg arferol o ganolbwyntio ar unigolyn a throi at Dai Morris.

Yn ôl ei arfer eisteddai Dai rhwng ei ffrindie penna, Delme Thomas a John Lloyd, ac yn amlwg rodd Dai'n canolbwyntio'n gyfangwbl ar y gêm a'i hwynebai. I mi rodd yn ymgnawdoliad o Gymro fyddai'n rhoddi ei fywyd dros ei dîm a'i wlad. Plygai ymlaen yn ei sedd gyda'i lygaid ynghau a'i ddwy law dros ei glustie.

Meddwn inne, gan fynd i hwyl, "Drychwch arno fe, bois. Drychwch ar Dai. Dyma'r enghraifft berffaith o'r frawdoliaeth freintiedig sy'n cynrychioli eu gwlad ar faes y gad." Codais stêm a chefais wrandawiad astud a pherffaith.

Ac yna medde Dai. "*Shut up, Clive mun. I'm listening to the 2 o'clock race from Kempton*!"

Cafwyd ton o chwerthin byddarol. Toddodd y tensiwn. Diflannodd y gofidie a'r ofne. Rown i'n gwbod bod y tîm ar dân. A do, fe gurwyd Lloegr yn hawdd o 22 pwynt i 6. Aethon ni mlân 'fyd i ennill y Goron Driphlyg a theithio i Seland Newydd yn bencampwyr Ewrop.

Ond bachan ei filltir sgwâr o'dd Dai Morris! A ninne'n ymarfer ar faes Auckland yn Seland Newydd rwy'n cofio gofyn i Dai, "Faint o'r gloch yw hi?" A'i ateb?

"Dwy i ddim yn gwbod beth yw'r amser fan hyn, ond ma hi'n hanner awr wedi deg y nos yn Rhigos."

* * *

Yn fy ngêm gynta fel hyfforddwr ar Gymru llwyddon ni i guro'r Alban ar y cyntaf o Chwefror, 1969. Dim ond 3 pwynt sgorion nhw ac fe gawson ni 17 pwynt – y fuddugoliaeth fwya yng Nghaeredin er 1947.

Yna fe geson ni gêm danllyd yn erbyn Iwerddon. Daeth buddugoliaeth arall a'r sgôr terfynol oedd 24 pwynt i 11. Honna oedd y gêm pan brofodd Brian Price y galle fe fod wedi disgleirio yn y sgwâr bocso petai e heb benderfynu canolbwyntio ar rygbi. Teg nodi fod y blaen-asgellwr Noel Murphy wedi gweld sêr ym mhresenoldeb y Tywysog Charles!

"Da'th pâr o ddwylo ogwmpas y sgarmes," medde Price, "gan anelu'r bysedd i gyfeiriad 'y mhen i. Do'n i ddim yn mynd i ddiodde hynny, felly gollynges ergyd i gyfeiriad y troseddwr."

Bedydd tân rhyngwladol i'r Tywysog.

⋆ ⋆ ⋆

A bod yn onest achosodd ei bresenoldeb yn y gêm broblem fawr i un o'r prif swyddogion oherwydd derbyniodd Arthur Gwilym Hughes, un o fois y Cwm o'dd wedi ymgartrefu yng Nghaerdydd erbyn hynny, siars ben bore gan Ysgrifennydd yr Undeb, W.H.(Bil) Clement. "Cyn gynted y gweli di gar Prince Charles yn cyrra'dd, rho wbod i fi", medde Bil.

Buodd Arthur wrthi'n ddyfal yn gwylio pawb a phopeth. O bryd i'w gilydd deuai'r gri gan Bil, "Unrhyw sôn amdano fe 'to?"

Ateb negyddol a gafodd e tan rhyw dri chwarter awr cyn y gic gynta. Cyrhaeddodd car anferth. Pipodd Arthur drwy'r ffenest a gofyn, "Excuse me, are you Prince Charles?"

"Yes," oedd yr ateb cadarn.

Ymatebodd Arthur iddo a dweud, "Well, you're in

trouble. You'd better hurry up because Bill Clement has been looking for you all morning."

Stori ffug yw hi falle ond mae'n rhyfeddol o boblogaidd ymhob cino yn enwedig o gofio i Gymru ddod yn gyfartal 8 yr un ym Mharis y tymor hwnnw cyn cipio'r Goron Driphlyg yn erbyn Lloegr yn gynnar ym mis Ebrill. Enillwyd y gêm honno o 30 pwynt i 9, cipiwyd y Goron am yr unfed tro ar ddeg a'r bencampwriaeth am y bymthegfed tro.

Hyfforddwr tîm Cymru, 1969

Prop o Benybont o'dd John Lloyd. Bu'n gapten ar Gymru mewn tair gêm a cha'l buddugoliaeth yn erbyn Yr Alban, Ffrainc a Lloegr. Rodd John yn athletwr o fri, heb owns o fraster yn agos at ei un stôn ar bymtheg er mai fe o'dd y bytwr mwya a'r gore a weles i eriôd.

Gŵr addfwyn a chadarn fel y graig. Gŵr a gâi ei ysbrydoli gan y geirie cyn y gêm a'r her y byddwn i'n ei osod cyn y chwiban cynta.

"Beth fydde tynged y gelyn? *What are we going to do to them*?" o'dd 'y nghri i wrth grŵp o flaenwyr.

Yn ddi-feth deuai'r ateb unfrydol. "*We'll beat them*!"

Byddwn i'n troi weithie at unigolyn, fel y sonies i wrth gyfeirio at Dai, ac unwaith troies i at John Lloyd. Ei ateb (damweiniol, siwr o fod!) o'dd, "*We'll eat them*!"

* * *

Er bod agwedd y wharaewyr yn broffesiynnol yr adeg honno, amaturiaid rhonc oedden nhw. Er na fydden nhw'n ca'l gwobrwyon ariannol, na thâl fel y cyfryw, roedden nhw'n ca'l y gore o bob dim o ran llefydd i aros, gofal a chynhalieth.

Eto rodd pawb yn wahanol. Pe bydde wharaewr yn ca'l ei anafu yna bydde fe'n derbyn y drinieth ore gan physiotherapydd o fri. Ond rodd y gair deiategydd yn gwbl ddierth i'r bois. Bydde cynnwys pob plât yn gyfan gwbl ddibynnol ar fympwy'r wharaewr ei hunan. Diddorol o'dd sylwi ar gynnwys platie bwyd y wharaewyr amser cinio cyn y gême mawr.

Cofio ca'l cwmni'r Tywysog Charles ar un o'r adege hynny. Bydde gwŷr soffistigedig fel John

Taylor, John Dawes, Mervyn, J.P.R. ac eraill yn archebu darne o dost ond bydde wharaewyr fel Dai Morris a Gareth Edwards yn awchu am bysgodyn a tsips. Delme wedyn? Wel, gwydred o laeth...

Ond sylwodd Charles ar blated annisgwyl o flaen un blaenwr cyhyrog. Medde Charles wrtho, "I must say I'm surprised. A bunch of grapes."

Ateb y blaenwr? "Grapes before... meat during the game."

* * *

Yn ystod fy nghyfnod yn hyfforddi carfan genedlaethol Cymru bu Lido Afan, y ganolfan ar lan y môr ger Porth Talbot, yn fangre cartrefol, cyfleus a chysurus i ni.

Anghyfleus o ran pellter efalle i'r gwŷr o glwb y Cymry yn Llundain a ddisgleiriai yn ystod y cyfnod hwnnw. Wedi'r cyfan nid ar chwarae bach o'dd chwarae gêm gartre yn Motspur Park ac yna wynebu'r daith ar hyd y draffordd i gymryd rhan yng ngweithgaredde'r garfan gendlaethol fore trannoeth. Dyna a wynebai gwŷr fel Gerald Davies, J.P.R.Williams, John Dawes, John Taylor, Jeff Young, Mervyn Davies, Geoff Evans a Mike Roberts yn gyson.

Maen nhw i gyd yn gymeriade. Dwedodd J.P.R. wrth feirniadu perfformiad Cymru mewn gêm yn ystod yr wythdege hwyr:

"Dodd dim digon o ddychymyg hyd yn oed gan flaenwyr Cymru i gledro gwrthwynebydd neu ddau yn y lein pan nad o'dd y dyfarnwr yn eu gwylio."

Fel ma'r gêm wedi newid.

⋆ ⋆ ⋆

Sul ar ôl Sul bydde'r fintai ffyddlon yn cyrraedd y Lido ar ôl teithio dau gan milltir. Cyrhaeddai Gerald a J.P.R. mewn car swanc a'r blaenwyr trwm cyhyrog yn aml yn rhannu car mini rhwng pedwar. Ond braf o'dd eu gweld ar bob achlysur.

Ac rodd y miloedd o gefnogwyr a dyrrai i Aberafan i wylio'r bechgyn yn ymarfer yn rhan bwysig o'r teulu hefyd. Wedi'r cyfan wiw i un o'r sêr fethu tacl yn gyhoeddus a bydde'n rhaid i anel pob pàs fod yn driw hefyd.

Cynhaliwyd rhai sesiyne'n breifat, do, a rhannwyd sawl cyfrinach rhwng y swyddogion ac aelode'r garfan ond yn ddieithriad hefyd cynhaliwyd sesiynne ar y maes cyfagos ac ar y traeth pan fyddai'r llanw'n caniatáu.

Cofio anfon y bachwr, Jeff Young un tro i weld o'dd y llanw mas a Jeff yn ddigon haerllyg i wrthod gan ddweud wrtha i, "Pam na anfoni di Barry John yn 'yn lle i?"

Pam? Rodd yr ateb yn syml yn nhyb Jeff a gweddill aelodau'r garfan. "Y Duw, Barry, o'dd yr unig un o'dd â'r gallu i droi'r llanw i'w blaid ei hun."

Ambell dro byddai cyfle i fwrw penwythnos gyda'n gilydd yno a galla i dystio fod hyd yn oed gwelyau pren a lenwai Wersyll yr Urdd yn Llangrannog ar y pryd yn fwy o ran maint heb sôn am fod yn fwy cyffyrddus na'r rhai a ddioddefon ni yn Lido Afan. Ond fuodd na eriôd gŵyn swyddogol. Rodd y teulu'n gytun.

Fy ngêm ola fel hyfforddwr, 1974; y siom o wrthod cais J.J. Williams – Cymru'n colli.

Sylwebu yn Gymraeg

Erbyn heddi ma trafod terme a gême yn y Gwmrag yn ail natur ond dim fel 'ny o'dd pethe'n arfer bod fel y clywson ni gan yr arloeswr o ddarlledwr, Eic Davies. Fel hyn ysgrifennodd e'r hanes yn rhaglen Gêm y

Dathlu, gêm i ddathlu deugen mlynedd bodolaeth Urdd Gobaith Cymru. Cafodd y gêm ei chynnal ar y chweched ar hugen o Ebrill 1972 gyda mawrion Barry John (Cymru) yn wynebu tim dethol Carwyn James (Y Llewod). Honno oedd gêm olaf Barry.

Dywedodd Eic yn y rhaglen mai trafod rhagolygon gêm i ennill y goron driphlyg ym 1956 yn Nulyn oedd y bwriad, a'r cynhyrchydd Wyn Williams wedi gwahodd yr annwyl Tom Howells, o Bontardawe, i broffwydo beth fyddai siawns tîm Cliff Morgan. Trefnodd gwrdd â Tom whap wedi cwpla'r ysgol, a dyna lle'r o'dd e'n sefyll amdana i ar y pafin wrth yr Ivy Bush. Cyn ifi ond cilagor drws y car, dyma fe'n poeni'n bryderus…

"Eic, beth am y tyrms Cwmrag 'ma?"

"O pidwch â becso Tom bach, nidwch miwn w."

"Ond rhaid 'u ca'l nhw'n iawn, wyt ti'n gweld. Beth yw England i ddechre?"

"Lloeger"

"Lloeger… Lloeger… Lloeger… Lloeger… "

A Lloeger fu hi bob cam nes cyrradd Gwaith y Mond, Clydach.

"Nawr 'te, beth yw Scotland?"

"Gwetwch Scotland."

"Na, na, reit yw reit… Beth yw e yn Gwmrag?"

"Yr Alban."

Ac fe fu'n ailadrodd yr Alban bob cam o'r fan'ny

hyd Gwaith Sgiwen.

"Ireland, rhaid ca'l hwnna'n reit…"

"Iwerddon."

"Gwed e 'to"

"I… wer… ddon"

"Iwerddon… Iwerddon… Iwerddon… "

A chan nad o'dd hewl osgoi Aberafan mewn bod y pryd hwnnw, fe rowd y cwbwl ar y cof, a chwpwl piŵr o'r terme 'fyd. Y rihyrsal yn ddwy funud bendigedig, a dyma gyrradd y foment fawr yn fyw ar y radio.

"Wel Tom," myntwn i, "odi'r Goron Driphlyg yn dod i Gymru unwaith eto y Satwrn nesa?"

"Ar un olwg synnwn i ddim, Eic. Fe watson ni Loeger lan yco yn Twickenham o wyth pwynt i dri, a fe nethon ni'n well byth lawr yma yn Gardydd yn erbyn Sco… Yr Alban… sgôri tri bychyngalw… y…"

"Cais."

"Na fe w… Odd e ar fla'n y nhafod i hefyd… tri cais i y… gôl gosb…

Lloeger, na nhw, heb groesi'n lein ni gyment ag unweth leni cofia. Ond oddi ar i hynny, wyt ti'n gweld, ma'r Alban wedi whare'r **Iddewon…**

ARWYR Y CYFNOD

Pan o'n i'n fyfyriwr arferwn ymarfer gyda chlwb rygbi Llanelli. Fel gyda phob myfyriwr arall rodd arian yn brin yn ystod cyfnod y gwylie a phob ha bydde 'nghyfell, John Elgar Williams a finne'n ca'l ein cyflogi yng ngwaith 'Tick Tock' yn Ystalyfera. Rodd y gwaith corfforol yn cael ei groesawu 'da ni – gofalu am y sgwâr criced, torri'r lawntie, chwynnu bonion y rhosod ac yn y blân.

Ond un prynhawn, yn ddiarwybod bron, dath y gwahoddiad a'r alwad i ni fynd i'r Strade. Rodd y ffaith fod y ddou ohonon ni wedi bod yn aelode o 'Young Dragons' Cymru yn ystod yr haf yn sbardun i'r alwad, siŵr o fod.

Ta beth, daliwyd Bws James o Gwmtwrch i Rydaman gan godi John Elgar ym Mrynaman. Newid bws, a chwmni Rees a Williams yn ein cludo i Lanelli. Cyrradd erbyn 5.45. Rhedeg o neuadd y dre i'r cae. Ymarfer am awr. 'I throi hi am adre. Cyrradd nôl erbyn 10 p.m. Gwerth yr ymdrech? O'dd glei achos shwd o'dd rhoi pris ar ymarfer gydag arwyr? Chwaraewyr fel Terry Davies, Geoff Howells, Ray a R.H. Williams, Cyril Davies, Keith Rowlands, Alan Rees, Aubrey Gale ac, wrth gwrs, y capten **Onllwyn Brace**. (9 cap 1956-61)

Rodd y mewnwr o Bontarddulais yn athrylith, o flaen ei amser, Unigolyn a allai wneud popeth. Rhedwr chwim, twyllodrus; meddwl miniog, praff; pâr o ddwylo diogel; ciciwr tangamp ac yn benna oll rodd ganddo fe'r ddawn i gyflawni'r annisgwyl.

Canolbwyntio ar redeg wnes i pan o'n i'n ddisgybl yn ysgol Maersydderwen a'r gwir plaen o'dd nad o'n i'n gwbod shwd o'dd 'cico' cyn i fi adel yr ysgol. Onllwyn ddatgelodd y cyfrinache i fi gan dreulio orie yn fy nhrwytho ar shwd o'dd cico i'r bocs, defnyddio'r ochr dywyll yn ogystal â'r gic uchel am y pyst. Mae'n eironig fod Onllwyn, y gŵr a anfarwolwyd am 'redeg' wedi dysgu'r sgilie hyn i'r 'ciciwr' cydnabyddedig.

Rodd e'n storïwr penigamp hefyd ac mae'n parhau i fod. Fe adroddodd e hanes un o'i storie yn rhaglen Gêm yr Urdd yn Ebrill 1972 ac rwy'n dal i chwerthin pan fydda i'n meddwl amdani.

Roedd Prifysgol Caerdydd wedi ennill cystadleuaeth y prifysgolion yn Aberystwyth a thrwy'r nos bu dathlu teilwng (yn y dyddie pan nad oedd y stiwdandts yn bihafio cystal â myfyrwyr heddi!). Cafodd llawer o drysore eu cario o dafarne'r dre ar y bws. Hanner ffordd drwy unigedde Pumlumon cafodd y bws ei atal rhag symud modfedd ymhellach gan blismon bochgoch a safai ar ganol y ffordd. Rodd e wedi gorfod reidio dair milltir ar ei feic i gwrdd â ni am hanner awr wedi un y bore oherwydd bod yr heddlu yn Aberystwyth wedi'i ffono a dweud wrtho fod '*articles which you have purloined*' yn ein meddiant.

Cyfaddefon ni ein trosedde a gwagiwyd y bws. Ar ôl hanner awr rodd mynydd newydd ar Bumlumon – mynydd o bethe a fenthycwyd oddi wrth dafarnwyr Aberystwyth. Cyfaddefodd rhai o'r bechgyn fod rhagor o nwydde yn y bŵt a rhoddon ni help i'r plismon druan i'w wagio. Ychydig yn hwyrach, ar ôl pregeth bwrpasol, rhoddodd ganiatad inni gychwyn unwaith eto ar ein taith i Gaerdydd. Gadawon ni'r plismon a'i bentwr ar ochr y mynydd.

Ond fe deithiodd beic y plismon druan yn barchus ar sedd gefn y bws yn ôl gyda ni bob cam i'r brifddinas!

* * *

Rodd Onllwyn yn 'arian byw' o chwaraewr. Yn wir mae'r bartneriaeth a sefydlodd rhyngddo fe a M.J.K.Smith, (aeth yn ei flân i fod yn gapten ar gricedwyr Lloegr) pan o'dd y ddau'n fyfyrwyr ym mhrifysgol Rhydychen, yn parhau'n rhan o chwedloniaeth y gêm.

Blaenasgellwr Lloegr, Peter Robbins, o'dd capten Prifysgol Rhydychen pan wnaethon nhw'r siwrne flynyddol i Gaerdydd – gêm a arferai fod yn rhan o batrwm chwarae rygbi ym mhum dege a chwe dege'r ganfrif ddiwethaf. Cyn gadel Rhydychen roedd rhai aelode'r tîm wedi penderfynu chwarae tric ar aelod newydd – blaenwr surbwch a braidd yn bwysig, o Dde Affrica. Yn y dyddiau hynny cyn y gêm bydde'r myfyrwyr yn aros dros nos yn Nhrefynwy. Rôl brecwest gofynnodd Robbins i bob aelod oedd eu passport 'da nhw, er mwyn croesi'r ffin. Yr unig un a atebodd yn negyddol oedd y gŵr ifanc o Dde Affrica. "Paid poeni," medde Robbins, "os wyt ti'n fodlon cwato yn y bŵt fe stopwn ni rhyw filltir cyn y ffin, sef Clawdd Offa ac fe gei di groesi ynddo. Dyna a ddigwyddodd .

Pan ddaethon nhw at Glawdd Offa stopodd y bws. Clywyd sawl bloedd am '*passports, please*' ac fe gludwyd y gŵr o Dde Affrica yn ddiogel i Gaerdydd.

Yn ystod y gêm anafwyd y chwaraewr o Dde Affrica, yn wir torrodd asgwrn ei foch ac fe gafodd ei ruthro i'r ysbyty. Serch hynny, y noson honno, ar ôl iddo dderbyn y driniaeth bwrpasol aeth heb gwyno i'r bwt filltir o Glawdd Offa ar y ffordd yn ôl. Ail seiniwyd y bloeddiade, '*Passports, please*'. Hyd y dydd heddi ma'r gŵr o Dde Affrica yn dal yn hynod o ddiolchgar i'w gyd-fyfyrwyr am 'u gofal a'u pryder amdano.

* * *

Enillodd **Cliff Morgan** 29 cap dros Gymru rhwng 1951-1958. Ac ynte wedi ymddeol o'r gêm ers blynyddoedd, ym 1970 agorwyd clwb rygbi newydd sbon i dîm Cwmtwrch ac fe gefais i'r anrhydedd o ddewis tîm o chwaraewyr rhyngwladol i herio'r gwŷr lleol. Hon oedd gêm olaf yr athrylithgar Cliff Morgan a fy ngêm ola inne hefyd.

Tîm Clive wrth agor clwb rybgi newydd Cwmtwrch.

Cefn: Keith Johnson (Dyfarnwr), Malcolm Henwood (Abertawe), J. Faull (Abertawe, Llewod Cymru), Rees Stephens (Castell-nedd, Llewod Cymru), Norman Gale (Llanelli, Cymru), Ron Waldron (Cymru Castell-nedd), Idris Jones (Cwmtwrch), John Howells (Llanelli). *Blaen:* Roy Thomas (Abertawe, Cymru 'B' Llanelli), John Thomas (Llanelli), Ken Jones (Caerdydd, Llewod Cymru), Cliff Morgan (Caerdydd, Llewod Cymru), Clive Rowlands (Pontypŵl, Cymru Abertawe), Robert Morgan (Llanelli, Cymru Caerdydd).

Cafwyd gêm ac achlysur bythgofiadwy. A dweud y gwir roeddwn i'n rhyfeddu fod Cliff wedi derbyn y gwahoddiad gan ei fod, ar y pryd, yn un o'r gwŷr prysuraf yng ngwledydd Pryden. Ond mae brawdgarwch rygbi'n elfen unigryw.

Yn anffodus, ac ynte ynghanol ei ruthr a'i brysurdeb anghofiodd Cliff ddod â'i *kit* chwarae. Braint yn wir oedd rhoi benthyg fy mhethe i iddo – Crys, shorts, sane, a phâr o fy sgidie hyd yn oed.

Chwaraeodd yn galed, a chafodd gyfle i amlygu'r holl sgiliau. Do, fe fwynhaon ni bob eiliad.

Yn dilyn y cystadlu ar y maes rygbi fe geson ni hefyd gyfle i fwynhau rhialtwch wedyn. Ac, wrth gwrs, roedd Cliff yn disgleirio wrth gyflwyno'i anerchiad e. Medde fe:

"Fe ges i wasanaeth ardderchog gan Clive drwy'r gêm heddi... rodd ei baso fe'n wych... ond yn anffodus bob tro ro'n i'n moyn rhedeg â'r bêl rodd y sgidie yn mynnu cico!"

* * *

Y cyn-glo rhyngwladol Geoff Evans (7 cap :1970 – 72) oedd rheolwr tîm rygbi Cymru pan chwaraewyd y gêm yn erbyn Seland Newydd yn Johannesburg ym 1995. Ceisiodd Geoff symbylu ei dîm gan bwysleisio bod Cymru'n gryfach, yn gyflymach, yn fwy o ran maint, heb sôn am fod yn fwy miniog.

Robert Jones oedd mewnwr Cymru y diwrnod hwnnw. Safai gyferbyn â'r cawr Jonah Lomu adeg yr anthemau a'r haka. Meddai Robert wrtho fe ei hunan, "Rwy'n fwy, yn gyflymach ac yn gryfach na Jonah Lomu ond dw i'n mynd i neud yn hollol siŵr na fyddwn ni'n dou ddim yn cwrdd â'n gilydd drwy gydol y prynhawn."

Teg nodi na sgôrodd Lomu'r prynhawn hwnnw, a naddo, fuodd Robert ddim mewn cyffyrddiad uniongyrchol ag e drwy'r gêm. Ac ydych, rych chi'n iawn, Seland Newydd grafodd y fuddugoliaeth o 34 pwynt i 9.

⋆ ⋆ ⋆

Bydd pobol yn amal yn cyfeirio at gyfnod llwyddiannus gwŷr rygbi Cymru, yn ystod y chwedege a'r saithdege, fel yr 'ail Oes Aur'. Yn ddiamau y 'brenin' answyddogol oedd **Barry John** a roddodd y gore i chwarae ac ynte yn anterth ei yrfa fel chwaraewr.

Cafodd ei fawredd ei gydnabod mewn rhaglen a gâi ei hystyried yn dra phwysig ar y pryd, sef *This Is Your Life*. Yn sgil cael ei gynnwys ar y rhaglen honno cynyddodd ei boblogrwydd yn fwyfwy hyd yn oed ac fe gafodd gyngor i gymryd cyfnod o seibiant er mwyn osgoi'r sylw. Cafodd sêl bendith pawb o fewn yr Undeb ar yr amod y bydde fe'n dychwelyd mewn da bryd at y Sul i ymuno â'r garfan genedlaethol yn Aberafan.

Yn anffodus i Barry, oherwydd amgylchiade y tu hwnt i'w reolaeth, methodd ei awyren â dychwelyd mewn pryd a lwyddodd e ddim i ymuno â'r garfan yn ôl y trefniant.

Yn sgil hynny eglurais wrtho fod pawb yn cydymdeimlo ac yn deall y sefyllfa ond ar y llaw arall bydde'n rhaid iddo brofi ei ffitrwydd mewn sesiwn arbenigol breifat. Cytunodd yn syth, wrth gwrs, ac ar y bore Llun aeth y ddau ohonon ni i gadw'r oed â'r arbenigwr a gawsai ei ddewis, sef Walter Phillips.

Erbyn cyrraedd yr ysbyty clywson ni fod y Bonwr Phillips wedi cael ei alw i ymdrin ag achos arall ond nad oedd angen i ni boeni gan y byddai'r Dr Huxtable yn cymryd ei le.

"Dim problem," meddwn i a Barry gan wneud ein hunen yn gysurus yn yr ystafell archwilio.

Yna daeth Dr Huxtable i mewn i'r ystafell. Un o'r merched ifanc prydfertha a grëwyd erioed. Yn gyfangwbl broffesiynnol aeth at ei gwaith gan archwilio pob rhan o gyfansoddiad corfforol Barry.

Saesneg oedd yr iaith ac ni chafwyd unrhyw drafferth wrth archwilio tafod, llygaid, calon, na chest, Barry.

Yna daeth y cais:

"*Would you drop your trousers, please*?"

Ufuddhaodd Barry. Yna cydiodd hi mewn rhan arbennig o'i gorff a gofyn iddo, "*Would you say 99 please*?"

Ufuddhaodd Barry unwaith eto, ac yn bwyllog ac yn ofalus dechreuodd adrodd, "*One, two, three*...

Chaiff y stori yna 'mo'i hadrodd ar ôl pob cinio pan fydda i'n siarad.

* * *

Cael ei gyflogi gan gwmni benthyg arian y 'Forward Trust' fu tynged y 'brenin' pan benderfynodd roi'r gore i whare. Ambell dro bydde fe'n gorfod ymweld ag unigolyn o'dd heb dalu ei fenthyciad mewn pryd.

Rwy'n cofio Barry yn mynd i weld un cwsmer o'dd ymhell ar ôl o ran ei ad-daliade a medde fe wrth Barry: "Allwch chi ddod nôl mewn deng munud?"

Dyna wnaeth e, ond mae'n amlwg bod e wedi dweud wrth bawb y bydde fe'n galw yn ei siop achos pan alwodd e nôl yno rodd y lle'n fwrlwm o blant a thade o bob oedran. Rodd y rheiny'n prynu pob math o bethe yn y siop, wrth gwrs, ac yn awyddus hefyd i sicrhau llofnod. Medde'r siopwr wrtho wedyn: "Allwch chi ddod nôl yn amlach Mr John achos os gwnewch chi fydd y broblem gyda'r ddyled ddim yn hir cyn diflannu."

* * *

Ymddangosodd **rheng flân enwog Pontypŵl** gyda'i gilydd yn gwisgo crys coch Cymru am y tro cynta yn ystod Ionor 1975 – gêm gynta pencampwriaeth y pum gwlad y tymor hwnnw.

Ffrainc oedd y ffefrynne ar y Parc des Princes. Jean Claude Bastiat oedd capten y gwrthwynebwyr gyda Roland Bertranne yn disgleirio yn y canol a Jacques Fouroux yn rheoli'r gêm wrth fôn y sgrym.

Cymru yn Awstralia, 1978.

Roedd uned wahanol a newydd yn cynrychioli Cymru gyda chwe aelod o'r tîm yn gwisgo'r crys coch am y tro cynta – gan gynnwys yr anfarwol Graf. Penodwyd Mervyn Davies yn gapten a hynny hefyd am y tro cynta ond fe arweiniodd ei wlad i fuddugoliaeth syfrdanol o 25 pwynt i 10 ac o bum cais i un.

Sgoriwyd cais ola'r gêm gan Graham Price a hynny ar ôl iddo ddilyn cic yr asgellwr J.J. Williams yn ddwfn yn ei hanner ei hunan cyn i hwnnw ei rheoli a'i chicio ymhellach tuag at linell Ffrainc. Yn y diwedd daeth y bêl i gôl prop Pontypŵl a blymiodd drosodd am gais bythgofiadwy.

Datblygodd yr uned yn elfen gref o fewn clwb Pontypŵl a'r tîm cenedlaethol rhwng 1975 a 1979. Enillodd y tîm cenedlaethol y Goron Driphlyg bedair gwaith o'r bron a chipio dwy Gamp Lawn mewn tri thymor.

Teithiodd y drindod dros y byd yn gwisgo'r crys coch ond cafodd Graham Price brofiad cas ofnadwy pan dorrwyd ei ên yn fwriadol gan un o flaenwyr Awstralia yn ystod y prawf cyntaf yn Brisbane ym 1978. Collwyd y prawf cyntaf hwnnw a'r ail brawf yn Sydney yn ogystal.

Ond suddodd 'mo ysbryd y rheng flaen o Went. Ar y ffordd adre, eisteddai'r tri y tu ôl i Clive Rowlands (Rheolwr), Terry Cobner (Capten) a John Dawes (Hyfforddwr) pan benderfynon nhw gynnal gêm o

Mastermind er mwyn lladd rhai o'r oriau hir yn yr awyren. Yn ôl pob tystiolaeth cafwyd hwyl arbennig ar yr holi a'r ateb.

Ar ôl tua dwy awr, gyda'r sgôr yn gyfangwbl gyfartal, dwedodd Price (bu'n fyryriwr yn y brifysgol yn ystod ei ieuenctid, gyda llaw). "Reit, dyma'r cwestiwn ola. Os na cha' i'r ateb iawn fe rown ni'r gore i'r gystadleuaeth. Dyma'r cwestiwn."

Ond cyn iddo ofyn y cwestiwn hwnnw dyma Charlie Faulkner yn dweud wrtho, "Rwy'n gwbod yr ateb cyn i ti ofyn y cwestiwn."

Anwybyddodd Price ymyrraeth ei gyd-bropiwr ac meddai, yn fwriadol ffroenuchel,

"Wna i ddim gofyn i chi sawl mis sydd mewn blwyddyn. Ma'r ateb yn rhy syml. Wna i ddim gofyn i chi chwaith sawl diwrnod sydd mewn blwyddyn, na sawl awr neu funud hyd yn oed sydd mewn blwyddyn. Yn hytrach dw i am ofyn, medde Price (ac mae'n rhaid troi i'r Saesneg gwreiddiol yn awr). "*How many seconds are there in a year*?" Aeth Bobby Windsor a phawb arall yn fud.

Ond yn araf tynnodd Charlie ei sgidie ac yna ei sanne gan syllu i fyw llyged Price, medde fe.

"*Easy, the answer to your question is 12.*"

Ac yna aeth ymlân i'w rhestri, "*the 2nd of January, the second of February, the second of March… and so on. In the end you'll find it's twelve*!

Coronwyd Charlie'n *Mastermind* mewn seremoni gofiadwy!

★ ★ ★

Nodwyd eisoes fod Charlie Faulkner yn deithiwr o fri. Un tro ymunodd â'r bwrdd brecwast yn Seland Newydd ac ynte wedi disgleirio yn erbyn gwŷr rygbi'r wlad honno y diwrnod cynt.

Ond, gwaetha'r modd i Charlie, roedd y brecwast wedi gorffen am 10.15 ac erbyn hyn roedd hi'n 10.30. Apeliodd yn daer am unrhyw beth i'w fwyta.

"Gwnawn ein gore," medde'r weinyddes ifanc. "Beth hoffech chi, Mr Faulkner?"

"Chwech sleisen drwchus o gig moch a dou wy wedi'i ffrio, os gwelwch chi'n dda."

"Mae'n ddrwg 'da ni ond do's dim cig moch ar ôl."

Edrychodd Charlie mas drwy'r ffenest ac yna yngan y frawddeg anfarwol, "Deugain miliwn o ddefed yn y wlad 'ma a dim un sleisen o gig moch!"

★ ★ ★

Pan ddath yr amser i sgwennu hunangofiant ddeng mlynedd yn ôl dim ond at un person y gallwn i droi a gofyn iddo sgwennu pwt o gyflwyniad. **Gareth Owen Edwards** o'dd y gŵr hwnnw. Capten ieuengaf Cymru erio'd (20 oed a 7 mis) yn erbyn yr Alban, yng Nghaerdydd, yn y mis bach ym 1968.

Chwaraeodd Gareth 53 o gême dros Gymru yn ddi-fwlch – o'r gêm yn erbyn Ffrainc ym 1967 hyd at y gêm yn erbyn yr un gwrthwynebwyr ym 1978. Cafodd ei enwebu a'i gydnabod fel y chwaraewr gore a welodd rygbi erio'd.

Yn ei gyflwyniad i'n llyfr i dwedodd hyn amdana i. "Clive o'dd fy arwr yn ystod fy mhlentyndod ar y Waun. Er na fu'n chwaraewr rhyngwladol am flynyddoedd maith bu'n eithriadol o lwyddiannus ac un o'i gyfraniade penna fel chwaraewr yn ogystal ag fel hyfforddwr o'dd ei allu i symbylu ac ysgogi, a hynny, fel arfer, â gwên ar ei wyneb. Pa mor ddifrifol bynnag oedd yr achlysur llwyddai Clive i gyflwyno'r ochr ddoniol a chafodd ei ddidwylledd, a'i awydd i fwynhau, ddylanwad enfawr ar y modd y datblygodd prif chwaraewyr rygbi Cymru'n uned rymus."

Geiriau caredig gan Gareth, y gŵr a ystyriwn yn frawd bach imi. O edrych yn ôl mae'n rhyfeddol iddo lwyddo i chwarae 53 o gême heb fwlch o gwbl, a heb golli'r un gêm. Pa mor agos y dath e at golli ei le ar gyfer un gêm benodol ym 1970? Wel, fe a' i â'r gyfrinach honno gyda fi i'r bedd.

Pleser oedd penodi Gareth yn gapten ar dîm a gipiodd y Goron Driphlyg ym 1969 gan guro'r Alban (17-3 ym Murrayfield), yna'r Gwyddyl (24-11 yng Nghaerdydd), dod yn gyfartal â'r Ffrancod (8-8 yn Stade Colombes) cyn chwalu'r Saeson (30-9) yng Nghaerdydd) a chipio'r Goron am yr unfed tro ar ddeg a'r bencampwriaeth am y pymthegfed tro.

Yna daeth y daith dorcalonnus i Seland Newydd (colli'r ddwy gêm brawf o 19-0 a 33-12 o fewn saith niwrnod) cyn curo Awstralia 19-16 yn Sydney a Ffiji o 31-11 mewn gêm answyddogol yn Suva.

Yn Ionor 1970 rodd hi'n adeg y brotest gwrth apartheid. Yn wir, bu'n rhaid defnyddio weiren bigog a lluoedd yr heddlu adeg y protestio yn erbyn ymweliad De Affrica cyn gallu chwarae. Ar y cae llwyddodd Cymru i osgoi colli yn erbyn y Springboks am y tro cynta erio'd. Cynhaliwyd y gêm ar ga' digon stecslyd a phan ddaeth y funud ola rodd yr ymwelwyr ar y blân o 6 i 3 cyn i'r mewnwr o'r Waun afael yn y bêl a phlymio dros y llinell gais. Cyfraniad capten yn wir. Yn anffodus, methodd drosi ei gais ei hun ond llwyddwyd i sicrhau gêm gyfartal, 6-6 yn erbyn De Affrica.

Bythefnos yn ddiweddarach curwyd yr Alban 18-9 yng ngêm gynta Pencampwriaeth y Pum Gwlad. Rodd yr hyder yn uchel felly ynglŷn â'n gobeithion o guro Lloegr yn Twickenham.

Ond ar y ca' fe ath popeth yn ots i'r disgwl. Gydag 20 muned i fynd rodd Cymru ar ei hôl hi o 13 i 6 ac i goroni'r wylofain cafodd y capten ei anafu ac fe fu'n rhaid cario Gareth oddi ar y maes. Tyfodd yr eilydd, Ray (Chico) Hopkins yn chwaraewr chwedlonol o fewn yr ucen muned hynny yng nghrys coch Cymru.

O fewn dim bylchodd ar yr ochr dywyll gan greu lle i'r cefnwr John Williams i groesi… a'i gneud hi'n 13-9. (John Williams o'dd e ar y pryd. Ddaeth mo J.J. yn aelod o'r tim tan y gêm yn erbyn Ffrainc yn 1973. Enillodd J.J. 30 cap rhwng 1973-1979 tra bo J.P.R. Williams wedi ennill 55 cap rhwng 1969-1981. Gyda llaw John Williams yn erbyn Lloegr ym 1970 oedd y trydydd cefnwr o Gymru i sgoro cais, yn dilyn Vivian Jenkins ym 1934 a Keith Jarrett ym 1967.)

… Ond fe grwydres i. 13 i 9 o'dd hi i Loegr wedi i John Williams groesi, ond yn sydyn gafaelodd Chico yn y bêl o gefn y lein, rhedodd nerth ei fagle a chroesi – y tro cynta i Gymru sgori 4 cais yn Twickenham. Ro'dd hi'n Lloegr 13 Cymru 12. Rodd pwyse aruthrol ar y cefnwr ond llwyddodd y trosiad – 13-14 felly. Ychwanegodd Barry John gôl adlam wych gan adel y sgôr terfynol yn Lloegr 13 Cymru 17. O'r gorfoledd! Iwerddon, yn Nulyn, amdani a hynny mewn pythefnos.

Ond pwy fydde'r mewnwr? A fydde'r capten wedi gwella mewn da bryd o'i anaf? Ta beth, byddai'n annheg aruthrol gadel Chico mas ar ôl ei gyfraniad arbennig yn Twickenham. Bu'n destun trafod ac yn bwnc llosg. Rhaid cofio bod hyn wedi digwydd ymhell cyn dyddie'r ffone bach symudol. Ond i ble bynnag yr elwn, i ba gyfeiriad bynnag ro'n i'n troi yr un o'dd y cwestiwn: "Ai Gareth ynteu Chico fydd yn y tîm?"

Cofiwch taw amaturiaid o'dd pob un wan jac ohonon ni, yn chwaraewyr ac yn hyfforddwyr a chlod aruthrol i'n cyflogwyr amyneddgar a chefnogol ni.

Yn ôl yr arfer dewisiodd Y Pump Mawr y tîm ar ôl cyfarfod y nos Fercher ond roedd y cynnwys yn gyfrinach tan y cyhoeddiad swyddogol amser cinio dydd Iau. Ond canodd y ffôn eto. Gareth oedd yno.

"Ma sawl ffrind 'da fi sy'n mynd draw i Ddulyn. Oes siawns ca'l gwpod beth yw'r tîm?"

"Ti'n gwpot y rheole, Gareth… alla i ddim dweud wrthot ti."

"O, Clive, 'achan… "

"Sori, Gareth, ond do's dim hawl 'da fi… "

"O Clive, dere mlan, plîs gwed… "

"Na, Gareth, alla i ddim…"

"O, Clive… dere mlan, achan…"

Yn y diwedd mae'n rhaid cyfadde imi ddweud hyn wrtho fe:

"Gareth, alla i ddim dweud wrthot ti dy fod ti *miwn*… ond alla i weud nag wyt ti *mas*!"

Ac mae'n wir dweud y bu sawl sgwrs gofiadwy rhyngon ni yn ystod ein perthynas fel capten a hyfforddwr a brawd mawr a brawd bach!

* * *

Teg nodi taw unwaith yn unig y wharaeodd y ddou ohonon ni yn erbyn ein gilydd. (Rwy'n lico meddwl fod gormod o barch 'da Gareth ata i achos ro'n i o'r farn ei fod e wastad yn ca'l 'i nafu jyst ychydig bach cyn bod y ddou ohonon ni fod gwrdd ar y ca!) Ta beth, yn y gêm honno ar San Helen yn Abertawe ym 1968, D.C.T. yn gwisgo'n rhif naw arferol i'r clwb a Gareth yn cynrychioli'r Barbariaid.

Dath y sgrym gynta. Gareth yn gofyn i fi, "Shwd ma pethe'n mynd 'da ti Clive?"

Finne'n ateb e drwy ddweud wrtho fe, "Ti'n rhy ifanc i siarad â fi ar y ca 'to."

Ymateb Gareth i hyn? Enillodd e feddiant o'r sgrym, bylchu a sgori cais o dan y pyst.

Wrth redeg nôl fe wetws e wrtho i, "Sori, Clive!"

⋆ ⋆ ⋆

Yn ystod taith lwyddiannus Llewod Carwyn i Seland Newydd ym 1971 chwaraeodd ran allweddol mewn taith a oedd yn un o binaclau ei yrfa lewyrchus. Câi hynny hyd yn oed ei gydnabod ar y pryd.

Yn dilyn y daith, derbyniodd y garfan alwad i wledda yn rhif 10 Downing Street yng nghwmni'r Prif Weinidog, Edward Heath.

Roedd y bonwr Heath yn dal pen rheswm gyda'r canolwr disglair David Duckham pan sylwodd y gwleidydd fod Gareth yng nghornel bella'r ystafell. Gadawodd Heath seren Lloegr yn y fan a'r lle er mwyn rhuthro draw at y Cymro a dweud,

"*I'm so pleased to meet you, Gareth.*"

Yn naturiol ymatebodd Gareth yn fonheddig trwy ddweud, "*I'm so pleased to meet you, too, sir.*"

Yna gofynnodd y Prif Weinidog iddo, "*Where are you from, Gareth*?"

Unw*aith eto daeth yr ateb bonheddig,* "From Gwaun Cae Gurwen, sir."

"*Is that Tory country*?" oedd ei gwestiwn nesa.

Cafodd ateb fel bwled gan Gareth,

"*No sir, Buckleys.*"

WHARE GOLFF

Yn 'y nghyfnod i fel wharaewr dodd whare golff ddim mor boblogedd â hynny yn 'yn plith ni achos dodd dim amser 'da ni i whare golff a whare rygbi. Ma'r ddwy gêm yn gofyn am orie o ymarfer. Erbyn heddi gyda'r wharaewyr yn wharaewyr proffesiynnol ma llawer mwy o amser rhydd 'da nhw ac felly'n gallu whare golff a rygbi.

Un peth sy'n gyffredin rhwng y ddwy gêm yw bod digon o storïe am golff fel sy 'na am rygbi.

* * *

Dw i'n lico'r stori 'na am y ddau gyfaill o'dd yn dwli ar golff. Un yn marw ac yn mynd i'r nefoedd ond yn dychwelyd i'r ddaear i ymweld â'i ffrind.

"Y newyddion da yw bod cwrs deunaw twll bendigedig yn y nefoedd. Y newyddion drwg yw dy fod ti ar y *tee* cynta am 9 o'r gloch bore fory."

* * *

Dou Gardi wedyn yn wharae am £1 o wobr. Fe geson nhw gêm glos uffernol. Yn wir ar ôl 17 twll ro'n nhw'n gyfartal. Ar y deunawfed a'th dreif Dai i'r canol ond rhywsut cariodd y gwynt ymdrech Wil i'r garw.

Dyfal fu'r chwilio ac ar ôl cyfnod o ddeng munud gollyngodd Wil bêl newydd o'i boced ar y slei pan nad o'dd Dai'n gwylio.

Gweiddodd Dai, "dyma hi Wil, rwy i wedi dod o hyd iddi."

"Y cythraul celwyddog," medde Wil, "mae dy bêl di o dan 'y nhroed dde i. Rwy i wedi bod yn damsgyn arni hi ers naw muned."

Un diwrnod cafodd y golffwr brwd 'ma gwmni'i wraig i wharae gyda fe, er dodd hynny ddim yn digwydd yn amal, cofiwch. A fynte'n ca'l rownd ddychrynllyd o wael fe gas ergyd waeth byth ar y nawfed twll. Yn wir, ar ôl gweld lle roedd ei bêl e wedi disgyn sylweddolodd fod sied gweithwyr y clwb rhyngddo a lawnt y nawfed. Yn ffodus sylwodd ei wraig fod drws ffrynt a drws cefen i'r sied. Gwyddai pe bydde fe ddim ond yn agor y ddau ddrws, ac o gadw'r bêl yn isel, yna bydde hynny'n agor llwybr clir iddo i'r lawnt.

'Dyna ddigwyddodd. A'th y wraig i ochr bella'r drws. Cymerodd ei gŵr ei amser i baratoi'n ofalus. Ac yna tarodd y bêl yn lân, yn isel ac yn bwerus. Yn anffodus, rodd ei wraig wedi bod yn sefyllian am gymaint o amser yr ochor arall i'r sied nes iddi blygu ei phen rownd cornel y drws pella i weld yr achos am yr holl oedi. Yr eiliad honno cafodd ei tharo yn ei thalcen gan y bêl golff a buodd farw yn y fan a'r lle.

Fisoedd yn ddiweddarach cafodd y golffwr gwmni ffrind iddo fel partner am rownd o golff. Ar y nawfed twll yr un peth fuodd tynged ei ddreif wrth i'r bêl ddisgyn yr ochor arall i'r sied.

Dyma'r ffrind yn gweld y cyfle am ffordd o ddianc drwy agor y ddau ddrws a dwedodd wrtho am daro'r bêl yn isel i'r lawnt. Ond gwrthododd y golffwr ei gynnig gan ddweud, "Y tro diwetha i fi dreial neud 'na ar y twll hwn fe ges i brofiad echrydus. Fe ges i 7."

★ ★ ★

Golffwr o Gardi yn troedio'n nerfus y tu fas i ward drinaeth frys yr ysbyty leol. Y tu mewn, y doctoriaid yn gweithio'n ddygn i achub bywyd y golffwr o'dd wedi diodde'r ddamwain waetha posib pan laniodd pêl yn ei geg a honno'n sownd yn ei wddwg.

Sylwodd nyrs garedig ar bryder y gŵr wrth iddo gerddded yn ôl a blân ar y coridor. Aeth ato i'w gysuro.

"Fydd hi ddim yn hir bellach," meddai cyn ychwanegu, "odi e'n perthyn yn agos i chi?"

"Nag yw," medde'r Cardi. "'Y mhêl i yw hi!"

★ ★ ★

Aeth Sion, golffwr gwaetha'r clwb i ymarfer ar ei ben ei hun. Gosododd y bêl yn ofalus rhwng ei draed. Cadwodd lygad barcud ar ei bêl. A'th â'i glwb yn ôl yn ofalus ac yna fe geisiodd daro ergyd ond methodd gyffwrdd â'r bêl. Digwyddodd hyn hanner dwsin o weithie ac ynte'n ei methu hi'n gyfangwbl bob tro. Ar y seithfed cynnig llwyddodd i yrru'r bêl am ryw ddeg llath.

Yna, sylwodd Siôn fod dieithryn yn ei wylio. Trodd Siôn yn grac ato, "Gwrandwch ddyn, odych chi'n sylweddoli taw dim ond golffwyr sydd â'r hawl i fod 'ma?"

"Dw i'n gwbod ni'n iawn, boi bach," medde'r dieithryn. "Ond, weda i ddim wrth neb dy fod ti 'ma, felly cofia na ddwedi di air."

* * *

A'th gŵr am dro ar hyd y cwrs golff ac aros am ennyd i wylio bachgen deng mlwydd oed yn ceisio taro'r bêl ac ynte ar ei ben ei hunan. O sefyll ar y *tee* cledrodd y bachgen y bêl yn ddeuheig dros ben, a gwyliodd y dyn hi'n cyrlio yn yr awyr, yn glanio ar y lawnt ac yn diflannu i mewn i'r twll.

"Y ffliwcen rhyfedda," meddai ond arhosodd yno tra gosododd y bachgen yr ail bêl. Unwaith yn rhagor hwyliodd y bêl yn daclus drwy'r awyr gan lanio ar y lawnt ac yna rholio'n osgeiddig i mewn i'r twll.

"Hei," medde'r dyn, "wyt ti'n sylweddoli beth

rwyt ti wedi'i neud?"

Atebodd y crwt, "rwy'n gallu gneud 'na bob tro."

Ac yn wir dyna na'th e deirgwaith wedyn o'r bron. Fflachiodd arian mawr o flaen llyged y gwyliwr a gofynnodd i'r bachgen:

"Oes rhywun wedi sylwi arnat ti'n gneud hyn?"

"Nag oes," medde'r crwt yn siriol. Rodd e wrth ei fodd pan dderbyniodd rodd o gan punt gan y gwyliwr ar yr amod ei fod e'n dod nôl i'r un fan trannoeth ac yn ailadrodd ei gamp.

Erbyn trannoeth rodd y gwyliwr wedi gofalu fod deg o dystion o gwmpas y *tee*. Pob un wedi mentro £100 na fedre'r crwt ail adrodd ei gamp.

Trawodd y golffwr y bêl yn hyderus ond a'th hi ddim mwy na deg llath. Yn wir dyna fu'i hanes gyda phob cynnig.

Gwylltodd y gwyliwr gan ei fod wedi rhoi can punt iddo fe ac wedi gamblo'n drwm. Medde fe wrtho'n grac, "Wyt ti'n sylweddoli mod i wedi colli mil o bunne o dy achos di heddi?"

"Byddwch dawel, wnewch chi," o'dd ateb cwrtais y crwt. "Wythnos nesa fe gawn ni bris o 100 am 1 am neud."

⋆ ⋆ ⋆

A sôn am gamblo. Rodd gŵr yn eistedd yn dawel yn ei lolfa rhyw brynhawn ac yna'n sydyn sleifiodd ei wraig y tu ôl iddo gan roi hefer o glatshen iddo ar ei ben gyda'r hetar smwddio.

"Beth gythrel wyt ti'n meddwl dy fod ti'n neud?" medde'r gŵr yn ei boene.

Atebodd hithe. "Pan roies i dy drowsus di yn y golch nawr fe gwmpodd y darn papur 'ma mas. Dy lawysgrifen di yw e ac ma'r enw 'Blodwen' wedi'i sgwennu arno fe. Damo ti'r cythrel."

"Rwyt ti wedi camddeall popeth," medde'r gŵr. "Blodwen o'dd enw'r gaseg roies i fet arni'r wythnos ddiwetha."

Cochodd 'i wraig gan ymddiheurio iddo am neud shwd gamgymeriad ac am iddi ei ame fe.

Dridie'n ddiweddarch dyma'r wraig yn rhoi'r un drinieth iddo fe unwaith 'to. Gwingodd ei gŵr mewn poene dychrynllyd gan weiddi, 'Pam wnest di hynna am yr eildro?'

Sgrechodd ei wraig arno. "Mae dy gaseg newydd dy ffono di!"

* * *

Tad wedyn yn poeni fod tueddiade i droi at gamblo gan ei fab ac yn dweud hynny wrth brifathro'r ysgol.

"Gadewch y mater i fi," medde hwnnw.

Pan ddychwelodd y tad i gasglu ei fab ar ddiwedd y dydd dwedodd y prifathro, "Rwy'n credu mod i wedi llwyddo i goncro'r tueddiad bach 'na o'dd ar

’ych mab chi. Fe alwes i fe i mewn i fy stafell i heddi a gofynnodd e i fi, ‘Ai barf iawn neu un ffals sydd ar ’ych wyneb chi, syr. Dw i’n fodlon betio pum punt taw un ffals yw hi.”

“Derbynies ei fet e,” medde’r prifathro, “a gofynnes iddo fe roi plwc i’r barf i weld pwy o’dd yn iawn. Wrth gwrs, fe gollodd ei bum punt.”

“O damo,” medde’r tad. “Fe fetodd e ddeg punt ’da fi’r bore ’ma y bydde fe cyn diwedd y dydd, yn rhoi plwc i’ch barf chi.”

STRAEON WEDI CINIAWA

Pan fydda i'n mynd i siarad mewn ciniawe bydd stori am y dyn treth incwm yn siŵr o fynd lawr yn dda.

Dyn yn mynd i'w Swyddfa Bost leol gan achwyn ei fod e, ers tro bellach, wedi bod yn derbyn llythyron bygythiol a'i fod e'n golygu cymryd camau ynglŷn â hynny.

"Cytuno," medde'r post feistr. "Mae'n drosedd anfon llythyron bygythiol ac rwy'n addo i chi y byddwn ni'n delio â'r mater. Oes syniad 'da chi pwy sy'n anfon y llythyron hyn?"

"Oes", medde'r dyn, "pobol y dreth Incwm!"

* * *

Wrth gwrs, rhaid sôn am y meddwyn am ei fod e wastod yn dod â gwên.

Medde'r meddwyn yn y parti. "Esgusodwch fi, odi lemwns yn gallu chwibanu?"

Y gweinydd, "Wrth gwrs na fedran nhw, pam rych chi'n gofyn?"

"Os hynny rwy i newydd wasgu canary i mewn i fy gin a tonig!"

* * *

Bachan yn cerdded i mewn i dafarn, mynd lan at y bar ac yn archebu dwbler o wisgi. Talodd amdano ac fe yfodd y gwydred mewn un llwnc. Edrychodd yn ei waled ac o fewn eiliade gofynnodd am un arall.

"Dim trafferth," medde'r gŵr y tu ôl i'r bar.

Rhoddodd y gwydr wrth ei wefuse ac fe lyncodd yr ail o fewn eiliad arall. Unwaith eto edrychodd y cwsmer yn ei waled cyn archebu wisgi dwbwl arall 'to.

"Iawn," medde'r tafarnwr.

Unwaith yn rhagor digwyddodd yr un peth.

Wedi i'r un peth ddigwydd ddeg o weithie dyma'r tafarnwr yn dweud, "Gwrandwch, eich busnes chi yw e cofiwch, ond alla i ddim llai na sylwi 'ych bod chi'n edrych yn y'ch waled ar ôl pob gwydred. Pam?"

Atebodd y cwsmer. "Mae 'da fi lun o 'ngwraig fan 'na yn y waled. Bob tro rwy'n cymryd diferyn bydda i'n edrych ar y llun. Unwaith ma hi'n dechre edrych yn bert bydda i'n ei throi hi am adre."

* * *

Dwy ddynes wedyn yn cyfarfod i gael clonc a phaned o goffi. Rodd golwg bryderus dros ben ar un ohonyn nhw.

"Beth sy'n bod?" gofynnodd y llall.

"Ma'n sboner i wedi ca'l trafferthion ariannol difrifol," medde'r gynta. "Ma fe 'di colli 'i arian i gyd. Yn wir ma fe'n feth-dalwr."

"O druan â ti," medde'r llall. "Mae'n siwr dy fod ti'n becso'n ofnadw amdano fe."

"Ma hynny'n reit i wala," medde hithe, "dwy i ddim yn gwbod shwd y daw e i ben hebddo i."

⋆ ⋆ ⋆

Un noson, ym mhegwn y gogledd, aeth babi'r arth fawr wen at ei fam gan ofyn

"Mam, odw i'n fabi arth fawr wen?"

"Wyt, siŵr iawn," meddai'r fam.

"Wel dwy i ddim yn siŵr," meddai'r babi arth fawr wen. "Fe ofynna i i Dad."

Cafodd yr un ateb gan ei dad ond eto dodd y babi ddim yn fodlon gan ddweud,

"Fe ofynna i i Dad-cu." Dyna a wnaeth ac unwaith yn rhagor derbyniodd yr un ateb, "Wyt, siŵr iawn bod ti'n fabi arth fawr wen. Ond pam rwyt ti'n gofyn?"

"Gan mod i'n blwmin sythu," meddai'r babi!

⋆ ⋆ ⋆

Dynes ganol oed ddibriod yn mynd ar fordaith am y tro cynta ac yn penderfynu cadw dyddiadur o'i phrofiadau.

Diwrnod 1: 'Mhrofiad cynta un o deithio ar fordaith. Diddorol

Diwrnod 2: Mae llawer o ddynion ar y fordaith. Rhai yn gwrtais … eraill yn fwy powld.

Diwrnod 3: Heddiw ces wahoddiad i eistedd ar fwrdd y capten.

Diwrnod 4: Heddiw derbynies wahoddiad gan y capten i fod yn ddrwg.

Diwrnod 5: Heddiw gwnaeth y capten fygwth suddo'r cwch os byddwn i'n gwrthod ei awgrymiade.

Diwrnod 6: Heddiw achubes fywyde 976 o bobl!

* * *

Enillodd Dai Jones pob gwobr yn y sioe. Y tatws gore, y tomatos mwya, y rhiwbob melusa a'r mafon mwya.

"Beth yw cyfrinach eich llwyddiant?" o'dd y cwestiwn.

"Dom," medde Dai yn llawn balchder.

"O Mam", meddai ei ferch Blodwen. "Pam na fedrith Dadi ddweud gwrtaith yn lle dom?"

"Canmol dy lwc," medde'r fam. "Ma hi wedi cymryd deng mlynedd ar hugen i fi ei berswadio fe i ddweud dom!"

* * *

Er yr addewid ei fod yn gallu siarad bu parot Gwladys Jones yn gyfangwbl fud am dair blynedd ac yn y pen draw derbyniodd Gwladys na fydde fe byth yn yngan gair. Yna un dydd, a hithe'n ei fwydo gyda dalen o letus blasus sgrechodd y parrot yn uchel. "Ych, mae cynrhonyn ar y ddalen."

Syfrdanwyd Gwladys gan ofyn, "Pam na siaradest cyn hyn?"

Medde'r parrot. "Rodd y bwyd yn berffaith dderbyniol tan heddi."

* * *

Stori yw hon ges i gan Wyddel fu'n gyfell da i fi. Addewais beidio â'i enwi ond ma fe'n taeru ei bod hi'n wir!

Shaemus, un o'r chwaraewyr mwya poblogaidd a welodd y pentre erioed, wedi marw a neuadd y pentre'n orlawn adeg y ffarwel ola. Sylweddoli nad oedd lle i osod yr arch yn barchus yn y blaen. Yr apêl, "*Let's have 3 chairs for the coffin.*"

Clywyd "Hip,hip hooray, hip, hip hooray, hip, hip hooray."

* * *

Tua throad y mileniwm digwyddodd cyfnod rhyfeddol i rygbi yng Nghymru ac i wledydd eraill yn y bencampwriaeth. Caiff y cyfnod ei gyfeirio ato fel *Grannygate* am fod chwaraewyr, nad oedd wedi eu geni na'u magu yn y gwledydd hynny, ganiatad i gynrychioli'r gwledydd lle cawson nhw eu mabwysiadu.

Yr achosion clasurol i Gymru oedd Shane Howarth

(19 cap, rhwng 1998 a 2000) a Brett Sinkinson (20 cap rhwng 1999 a 2002).

Yn ystod y cyfnod hwnnw mae'n ffaith i ddau aelod o bwyllgor clwb rygbi Cwmtwrch dderbyn galwad i ymddangos o flaen eu gwell mewn llys barn.

Y drosedd?

Gwerthu tocynne'n anghyfreithlon?

Nage. Gwerthu tystysgrife geni!

⋆ ⋆ ⋆

Syr Clive Woodward yn annerch cynhadledd i holl sylwebyddion y Wasg ar ôl i Loegr ennill Cwpan y Byd ym 1999.

Un cwestiwn gafodd e o'dd, "Ai dyma'r tîm gore o Loegr i ti fod yn gysylltiedig ag e?"

Medde Woodward. "Cwestiwn rhyfedd braidd a ninne newydd ennill Cwpan y Byd ond mae'n rhaid cyfeirio at dîm yr wythdegau oedd yn cynnwys cewri fel Andrew, Morris, Ackford, Dooley, Carling ac yn y blân. Ond i ateb eich cwestiwn rwy'n credu y bydde'r tîm presennol yn curo'r tîm hwnnw o bum pwynt."

Yna daeth cwestiwn arall ac acen Gymreig amlwg gan yr holwr. "Sut fydde'r tîm hwn yn dod mlân yn erbyn tîm Cymru a 'nillodd y Gamp Lawn ym 1971?"

Edrychodd Woodward arno'n ofalus gan ateb. "Fe ges i 'nghodi yng ngwres rygbi Cymru. Derbyn fy addysg ar HMS Conwy yng Ngogledd Cymru. Cael fy newis yn safle'r maswr ar gyfer y gêm brawf derfynol i dîm ysgolion uwchradd Cymru gan wynebu Gareth Davies ym Mrynaman. Gareth gafodd ei ddewis ar gyfer y gême rhyngwladol."

Ebychiad tawel y Cymro oedd, "Mae hynny'n ddealladwy."

Aeth Woodward yn ei flaen. Meddai, "Mae gen i barch aruthrol tuag at y chwaraewyr hynny i gyd… roedd gwŷr megis Barry, Gareth, Gerald, J.P.R., Mervyn, Delme, Dai Morris ac yn y blân i gyd yn gewri."

Ychwanegodd Woodward: "Rwyn credu y bydden nhw'n curo tîm presennol Lloegr ond dim ond o bum pwynt."

"Diolch i chi" meddai'r Cymro'n gwrtais "ond mae'n rhaid imi ddweud nad oeddwn yn disgwyl yr ateb 'na."

"Gam bwyll," medde Woodward, "rwy i newydd ddweud mod i'n credu y bydden nhw'n curo tîm llwyddiannus presennol Lloegr ond o ddim mwy na phum pwynt."

A medde'r Cymro wedyn, "Smo chi'n sylweddoli fod Gareth, Barry a Gerald ymhell dros drigen oed erbyn hyn ac rwy'n credu y bydde Delme, Dai a Mervyn ychydig mas o bwff yn ystod y deng munud ola!"

* * *

Hefer o frywdr rhwng gwŷr bychain Cymru yn erbyn cewri cyhyrog Lloegr yn Twickenham. Munud i fynd ac mae'n ddi-sgôr. Y Saeson ar fin croesi am gais yn y gornel ond yn sydyn cipiwyd pêl y gwrthwynebwyr a chwiliwyd am ddiogelwch yr ystlys. Ond doedd dim ffordd drwodd. Rhaid oedd rhedeg. Rhedwyd at y llinell pump ar hugen (mae'n *hen hen stori*!) ac yna pasiwyd i'r blaenwr oedd wedi torri'n rhydd o'i bac. Rhedodd ynte nerth ei fagle hyd at y llinell hanner ac yna yno cwmpodd ar ei hyd.

Casglodd gweddill y cryse cochion o'i gwmpas a llwyddo i gadw'r meddiant. Aeth y bêl o'r mewnwr i'r maswr. Ffugiodd, ochr-gamodd. Taranodd. Pasiodd i un o'r canolwyr a roddodd bas i'w gyd-ganolwr. Tasgodd yntau yn ei flaen. Cyrhaeddwyd y llinell pump ar hugain a phasiwyd y bêl i'r asgell.

Brasgamodd yr asgellwr hwnnw tuag at y llinell gais ond yn rhyfeddol fe'i taclwyd lathen yn brin.

Rodd y symudiad ar ben. Bu'r holl ymdrech yn ofer.

Ond na, roedd yr asgellwr chwith wedi rhagweld y posiblrwydd o dacl lwyddiannus ac wedi cysgodi ei frawd ar yr asgell dde. Wrth i hwnnw syrthio i'r ddaear clywodd floedd "Pasa hi 'ma." Ac fe wnaeth ac fe sgôrodd Dai'r cais a seliodd y fuddugoliaeth fythgofiadwy.

Modd i fyw? Yn anffodus, i'r gwrthwyneb, oherwydd codwyd Dai ar aelwyd onest ac yn ei dyb e rodd y bas ola mlân.

Poenodd am y digwyddiad a'i orchest ffug am weddill ei oes a bu farw'n ŵr ifanc yn llawn cydwybod am dderbyn clod anheilwng.

Ac yna o gyrraedd y 'Pyrth Sanctaidd', clywodd lais:

"Oes gen ti rywbeth i'w ddweud, rhywbeth i'w ofyn cyn camu i'r sanctaidd nef?"

"Oes yn wir… a oedd y bas ola 'na mlân?"

Ac yna daeth yr ateb a'i cysurodd, "Nag oedd. Roedd y bas yn berffaith ddilys. Yn wir fe wnes di'n arbennig o dda i'w dal hi a sgôro."

O'r diwedd roedd ei gwpan, yn wir, ei ffiol, yn llawn!

Gwaeddodd mewn gorfoledd,

"Diolch i ti, Sant Pedr."

"Sant Pedr? Dewi Sant yw'n enw i."

CYFRES
TI'N JOCAN

hiwmor
DAI JONES

hiwmor
LYN EBENEZER

hiwmor
Y CARDI

hiwmor
IFAN TREGARON
Ifan Gruffydd

hiwmor
SIR BENFRO
Mair Garnon

hiwmor
PONTSHÂN

hiwmor
IDRIS A CHARLES

hiwmor
SIR GÂR

hiwmor
PWS
Dewi Pws

hiwmor
JOHN OGWEN